MAMAS

Pour Roméo et Oli.

- Lili SOHN -

MAMAS

Petit précis de déconstruction de l'instinct maternel

casterman

SOMMAIRE

En guise d'introduction

Alors que je fouillais des cartons chez mes parents, j'ai retrouvé une lettre de quand j'avais 7 ans.

Je ne me souvenais pas de ces aspirations de petite fille. Une chose était certaine à l'époque : J'AURAIS DES ENFANTS !

Quand je serais grande

1. j'aurai un gentil mari,
2. j'habiterais au bord de la mer,
3. j'aurai quatre enfants,
4. je leur choisirai de beaux prénoms
5. je leur trouverai un gentil parrain et une gentille marraine,
6. je leur donnerai le biberon,
7. je leur changerai soubent les couches,
8. j'organiserai une belle fête à leur baptême,
9. je leur chercherai une nourrice,
10. je leur achèterai de belles chaussure et des habits à la mode
11. je leur ferai faire une belle coupe de cheveux
12. tous les après-midi, je les promènerai
13. le matin, je les accompagnerais à l'école,
14. à Noël, je leur achèterais de beaux jouets,
15. aussi un ordinateur,
16. je les emmènerai dans la montagne avec mon 4x4
17. par beau temps je ferais du jogging avec eux,
18. l'extinction des feux sera à huit heures,
19. ils m'inbiteront à leur mariage,
20. je leur achèterai une Ferrari.

Aurélie

Je me souviens que plus tard, vers 15 ans, je pensais que je serais mère à 20 ans.

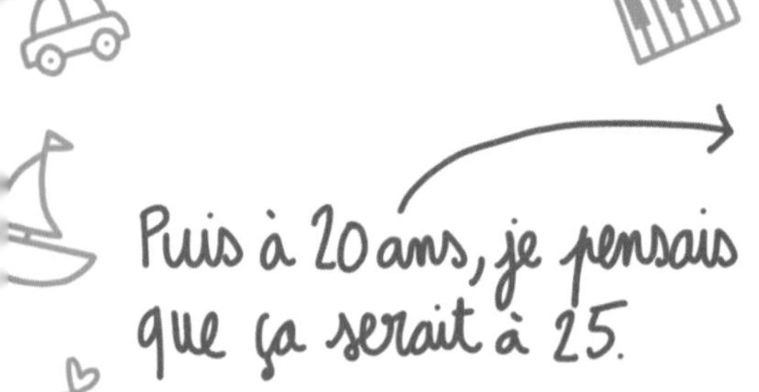

Puis à 20 ans, je pensais que ça serait à 25.

Et puis j'ai commencé à rencontrer des gens qui pensaient autrement.

Fred, mon amoureux de l'époque

Je n'aurai JAMAIS d'enfants !

Simon, un copain

Enfin Lili, c'est un acte totalement égoïste de faire un enfant !

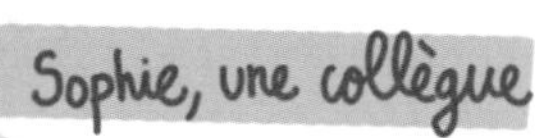

Nan mais t'as pensé à la planète ? À l'environnement ? On est déjà en surpopulation !

C'est là que j'ai commencé à remettre en question le/mon désir/besoin de maternité.

Et puis j'ai laissé cette question en suspens. Mais à 29 ans, j'ai eu le cancer, et en même temps qu'on m'annonçait ma maladie, on m'a dit que la chimio pouvait me rendre stérile...

ET TOUT D'UN COUP...
JE VEUX UN ENFANT!!!
Ça m'a pris comme une envie de pisser!
J'ai pas trop cherché à comprendre, j'avais autre chose à faire sur le moment

Est-ce que cette réaction était normale? Y a-t-il d'ailleurs une norme? Un cheminement classique? C'est ce que je vais essayer de découvrir!

Nan mais je te jure, c'est DINGUE !
À partir du moment où j'ai essayé de faire un enfant (après la chimio), c'est devenu...

Viscéral

Et ça se manifestait comme ça, partout, tout le temps...

BÉBÉ
Oh, ça fait une semaine que je me suis pas lavée, j'ai dormi 3h en 3 jours et j'ai mangé une biscotte mais ça va!
BÉBÉ

DONNEZ-MOI UN BÉBÉ!!!

JE SUIS POSSÉDÉE !
JE SUIS TOTALEMENT OBSÉDÉE PAR MON DÉSIR D'ENFANT !
Est-ce que c'est mon instinct maternel qui se réveille ?

C'est là que j'ai commencé à me poser des questions sur l'existence de…

L'instinct maternel

C'est donc pas moi qui choisis de faire un bébé?
C'est ce truc?
Mais c'est quoi au juste?

Je trouve juste cette définition

Instinct

Pour les articles homonymes, voir Instinct (homonymie).

L'**instinct** est la totalité ou partie héréditaire et innée des comportements, tendances comportementales et mécanismes physiologiques sous-jacents des animaux. Il est présent sous différentes formes chez toutes les espèces animales. Son étude intéresse nombre de sciences : biologie animale (éthologie et phylogénie), psychologie, psychiatrie, anthropologie et philosophie. Chez l'humain, il constitue la nature qui s'oppose traditionnellement au concept de culture.

Euh...
Y a rien non plus dans le dico...
C'est louche !
DICO

Alors ok, si, je trouve des infos du côté de chez Darwin, dans sa théorie de l'évolution...

Résumé en accéléré :

Sur Terre, de mutation en mutation, on est passés progressivement de l'animal à l'être humain.

Et cela selon le principe de sélection naturelle = seuls les spécimens les plus adaptés survivent et font évoluer l'espèce.

Si on résume, pour Darwin :

Il subsiste, en héritage, chez les femmes, des ressemblances comportementales avec les femelles animales. Et donc, par conséquent, la maternité pourrait s'inscrire chez la femme comme une pulsion physiologique irrépressible, aussi forte que le besoin de dormir et de manger.

Et donc tout naturellement :

Une femme veut des enfants.

Une femme sait s'occuper d'un enfant.

Une femme aime son enfant.

Ouiii je suis une mère parfaite !

FEM

MÈ

IME

E

RE?

La femme serait forcément une génitrice ? On serait toutes pareilles, avec les mêmes aspirations ? On n'aurait donc pas le choix ?

Répète après moi :
Faire des bébés c'est O-BLI-GA-TOIRE !

Oh shit, c'est flippant !
Ce que je fais n'est pas un choix ? Je suis guidée par mes gènes et la maternité serait un passage obligatoire ?
Allons vite explorer tout ça !

Nous allons opérer méthodiquement et étudier :

- mon expérience
- des faits culturels
- des faits historiques
- quelques concepts philosophiques
- des témoignages

Je trahis le féminisme ?

MAIS POURQUOI DONC JE FAIS ÇA (UN ENFANT) ? HEIN ?!

Je serai mon sujet d'exploration n° 1 car pour tout te dire, c'est allé très vite : je suis enceinte.

Je suis enceinte
de 1 mois.
Et depuis 1 mois,
je me pose beaucoup
de questions. Avant,
j'étais juste obnubilée
par ce désir d'enfant
viscéral.
À présent, mes questionnements
sont assez intenses...

Dans mes questionnements les plus récurrents et flippants:

EST-CE QUE LA MATERNITÉ C'EST ANTI-FÉMINISTE

Parfois j'ai vraiment l'impression d'avoir trahi un truc, d'être faible et de m'être fait avoir. Mais j'arrive pas vraiment à définir ce que c'est !

En fait, j'ai le sentiment de trahir le féminisme. J'ai lu beaucoup de livres féministes et j'ai fait beaucoup de recherches pour ma BD précédente (VAGIN tonic) et je me rends compte qu'on n'y parle jamais de maternité ! Les féministes n'évoquent jamais leur éventuel statut de mère.

→ un premier bilan s'impose du côté des grande théoriciennes.

Simone de Beauvoir

Alice Schwarzer : « Vous avez été souvent attaquée pour votre position envers la maternité, et cela par les femmes. Elles vous reprochent de refuser la maternité. »

Simone de Beauvoir : « Ah non ! Je ne la refuse pas ! Je pense seulement qu'aujourd'hui c'est un drôle de piège pour une femme. C'est pourquoi je conseillerais à une femme de ne pas devenir mère. »

Conversation avec Alice Schwarzer, 1974

La condition de la femme en tant que porteuse d'enfant est devenue l'essentiel de sa vie. Des termes tels que « stérile » ou « sans enfant » ont servi à rejeter toute autre identité. Le terme « non-père » ne figure dans aucune catégorie sociale.

Adrienne Rich

Citée par Francine Descarries-Bélanger et Christine Corbeil, dans « La maternité : un défi pour les féministes », International Review of Community Development, 1987, dispo en ligne.

La femme pouvant être mère, on en a déduit qu'elle devait l'être... Et ne trouver son bonheur que dans la maternité.

Elisabeth Badinter

L'amour en plus, Flammarion, 1981

Cette réflexion me perturbe beaucoup, mais heureusement en ce moment j'oublie beaucoup de choses. Et je zappe assez rapidement...

J'ai quand même la désagréable impression de... régresser!

Je retourne à l'état de nature ?

Ok, alors disons...
janvier 2017 !

Moi, aujourd'hui, au XXIe siècle, j'ai choisi (bon enfin, là, je suis plus trop sûre de ça) d'avoir un enfant. Et j'ai décidé quand (à peu près).

MAIS AVANT ?

Disons à la préhistoire ?

J'imagine que les femmes avaient tout le temps des bébés. Qu'elles ne se posaient pas de questions et que de toute façon c'était nécessaire pour la survie de l'espèce.

Que d'avoir une relation sexuelle (et donc potentiellement se reproduire) était un besoin physiologique comme boire ou manger?

Et puis c'est fou comme on invoque la préhistoire à chaque fois qu'on veut parler de la nature humaine. Comme si les humains préhistoriques étaient des êtres basiques, 100% nature et 0% culture.

En creusant un peu, j'ai découvert :

1. La préhistoire c'est hyper long, genre 3 millions d'années. Donc difficile de se faire UNE représentation précise.

2. La préhistoire a surtout été étudiée par des hommes, depuis un point de vue masculin.

3. La préhistoire c'est beaucoup d'hypothèses et peu de traces.

4. Les humains préhistoriques n'étaient pas débiles !

FRANCHEMENT?!

Moi homme!

Moi poilu!

Moi chasseur!

Moi tire femme cheveux!

Femme pas poils!

Femme reste caverne!

Vision patriarcale

L'homme chasse le mammouth. Il échange du sexe contre de la viande.

La femme reste dans la grotte avec ses enfants qu'elle allaite.

Alors qu'on sait très bien que la chasse ne représentait que 1/3 des activités. D'ailleurs, les chercheurs ne sont même pas certains que le mammouth ait vraiment été chassé. Il se pourrait même qu'on les piégeait plutôt, ou qu'on les récupérait après une mort accidentelle.

Hypothèse féministe

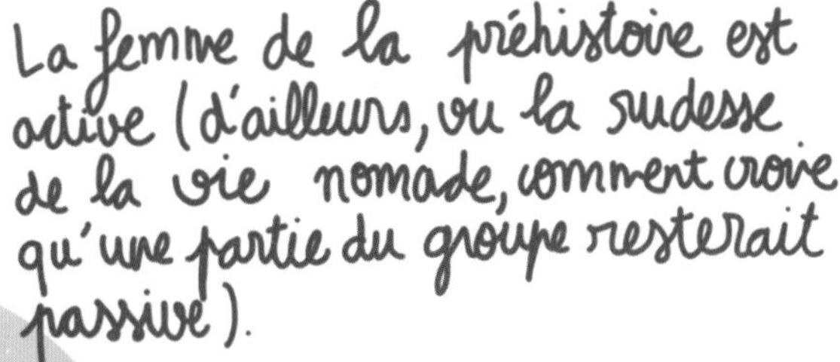

La femme de la préhistoire est active (d'ailleurs, vu la rudesse de la vie nomade, comment croire qu'une partie du groupe resterait passive).

Toi et toi

Cueillette

- portage
- création d'outils pour la cueillette
- organisation du partage des ressources et des tâches
- chasse et cueillette
- éducation (avec les hommes)

Elle contrôle les naissances (grâce à l'allaitement). Une femme nomade ne peut se permettre d'avoir trop de bébés.

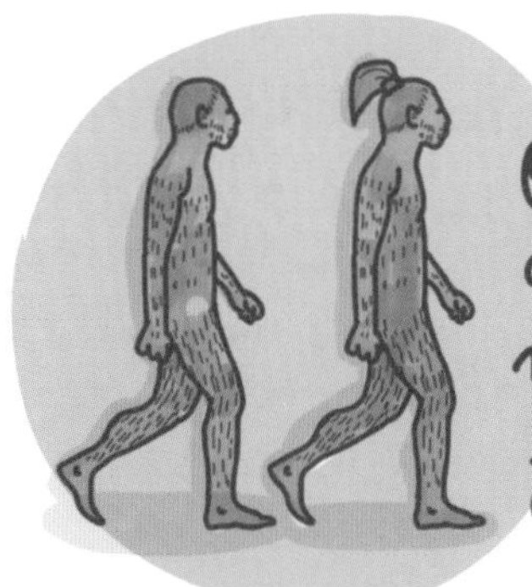

On sait aussi que l'homme et la femme de Néandertal avaient la même morphologie et donc la même force.

L'homme préhistorique est régulièrement mentionné pour rappeler l'essence de l'humanité, la base, le 100% nature, la version 1.0, comme dans ces phrases toutes faites:
"Depuis la nuit des temps..." ou "à l'origine"
STOP, ça fonctionne pas! L'image est fausse et biaisée. C'est une vision fantasmée de la nature humaine!

SHIT!
Maurice, on est démasqués!
Je t'avais dit d'en rester à la chasse au gourdin et d'éviter le sujet mammouth!

Bon, bref, on sait pas tout, mais la femme n'était certainement pas enfermée et soumise à faire bébé sur bébé dans une caverne !
C'est OUF !
Nan ?

Alors qu'on se plonge dans la préhistoire pour démontrer que la femme n'était pas soumise à une reproduction « animale », je me rends compte, finalement, que c'est peut-être un des rares moments dans l'histoire où la reproduction et l'éducation concernent autant les femmes que les hommes et que l'organisation du groupe est égalitaire.

J'ai d'ailleurs aussi découvert plusieurs textes (papyri médicaux)* datant de l'Égypte antique qui parlent de contraception et d'avortement.

C'est fou, j'imaginais pas du tout que les femmes contrôlaient les naissances depuis si longtemps.

*Papyrus Ebers, XVIe s av. JC ; papyrus Edwin Smith, 1500 av. JC.

Égypte, 3000 av. JC

Clairement, les femmes ont toujours voulu avoir le choix. Et c'est ce choix, cette conscience, qui nous distingue de l'animal.

DONC NON ! JE NE SUIS PAS UN ANIMAL !

C'est fou, on est des animaux quand ça nous arrange !
C'est vrai, dans les discussions, c'est un argument qui revient souvent !
La violence
...
Le véganisme
La famille
Et donc la maternité

Les animaux n'ont pas de conscience.
Hein, Jean-Michel ?!
Ah nan, c'est vrai, tu parles pas !
L'instinct de reproduction ne peut être transposé à l'humain.

Attends voir un peu !!!

MAIS OUI !
VOILÀ, C'EST ÇA !

LES HORMONES !!!

— Je serais —
biologiquement programmée ?

C TIC TAC TIC T
TAC TIC TAC TIC
C TIC TAC TIC T
TIC TAC TIC TAC
C TIC TAC TIC T
TIC TAC TIC TAC
C TAC TIC TAC T
TIC TAC TIC TAC
C TAC TIC TAC T

T'AS 30 ANS, NAN ?

TU SAIS QUE TA RÉSERVE OVARIENNE S'AMENUISE !

T'AS PLUS BEAUCOUP DE TEMPS POUR FAIRE UN BÉBÉ !

TIC TAC TIC TAC

L'horloge tourne! Attention! T'as un mec?
C'est bon, t'as un mec? Alor

FIN FERTILITÉ

= altération de la qualité de la réserve ovarienne

≃ 38-45 ans

Ménopause

100 ovocytes

≃ 51 ans

pas de mec ? Alors trouve-toi un mec, vite !

pour quand, hein ? Hein ?!

Viande d'humain
Origine France
Date limite de consommation:
29/ 08/ 2014
2 142142 142144
Poids net 70 kg
15 € /kg

J'me sens comme une machine à l'obsolescence programmée.
J'ai l'impression que ma seule valeur, c'est ma capacité à enfanter, mon utérus, ma fertilité.

Mais cette histoire de date de péremption, là ? Est-ce que ça me pousse à faire des enfants ?
Est-ce que c'est la peur de regretter qui me pousse à procréer ?

J'ai trouvé d'autres chiffres, moins alarmistes. Bizarrement, ils sont peu communiqués.

Les chiffres* de Martin WINCKLER (médecin, écrivain et féministe)

35 ans = 83 %
40 ans = 67 %
FERTILITÉ

La fertilité dépend aussi de l'âge du géniteur :

30-34 = TOP de la fertilité
55-59 = 2 fois plus faible
+ risque de fausse couche et anomalie

Mais là, avec les chiffres moins alarmistes de Winckler...
Reste qu'à 50 ans, c'est plus trop possible ?!
Enfin, peut-être qu'à cet âge-là on sait si on veut des enfants ?!
Peut-être ?

* tirés de l'essai *Sorcières* de Mona Chollet, La Découverte, 2018

MAIS LES HORMONES ? ET L'UTÉRUS ?

Est-ce que les hormones prennent le pouvoir ? Est-ce que je suis biologiquement programmée pour faire des enfants ? Et est-ce que mon corps parle pour moi ?

Mais c'est quoi déjà les hormones? Ce sont des substances chimiques, libérées par des glandes réparties dans le corps. Les hormones se déplacent à travers le sang et agissent comme des messagers en se fixant sur des récepteurs.

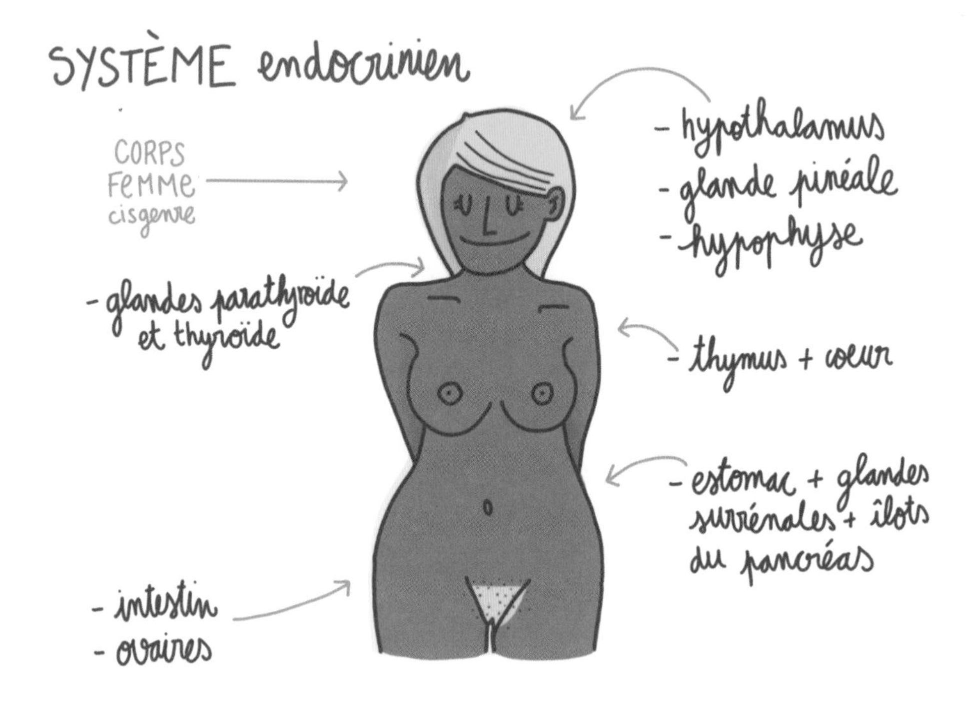

Exemples d'actions des messages hormonaux: croissance, sommeil, température corporelle, cycle menstruel, puberté, libido...

Mais les hormones ne déclenchent pas de prise de décisions, elles accompagnent un choix. Le cerveau reste le pilote, sinon, on succomberait à toutes nos pulsions!

Nan mais l'homosexualité c'est une maladie!

Envie de meurtre!

SHIT! J'ai faim!

Vite, manger un truc, tout de suite!

FAIM!

J'ai faim

FAIM!

Ça doit être un peu sec, le chat?

Là où on peut se faire déborder par les hormones, c'est niveau émotions et humeur !

Comme par exemple avec le fameux :

SPM

période prémenstruelle

La vie est horrible et je suis horrible, nulle, moche… Que personne ne me parle ! En plus j'ai plein de boutons et je veux juste dormiiiiiir !

Aloooors ? Si ce n'est pas mon "côté animal" et si ce ne sont pas les hormones qui me poussent à faire un bébé, C'EST QUOI, HEIN ?!!

Et si je te jouais du pipeau, plutôt ?

Et la pression sociale

dans tout ça ?

GUIDE POUR UNE VIE *de femme* RÉUSSIE ET ÉPANOUIE

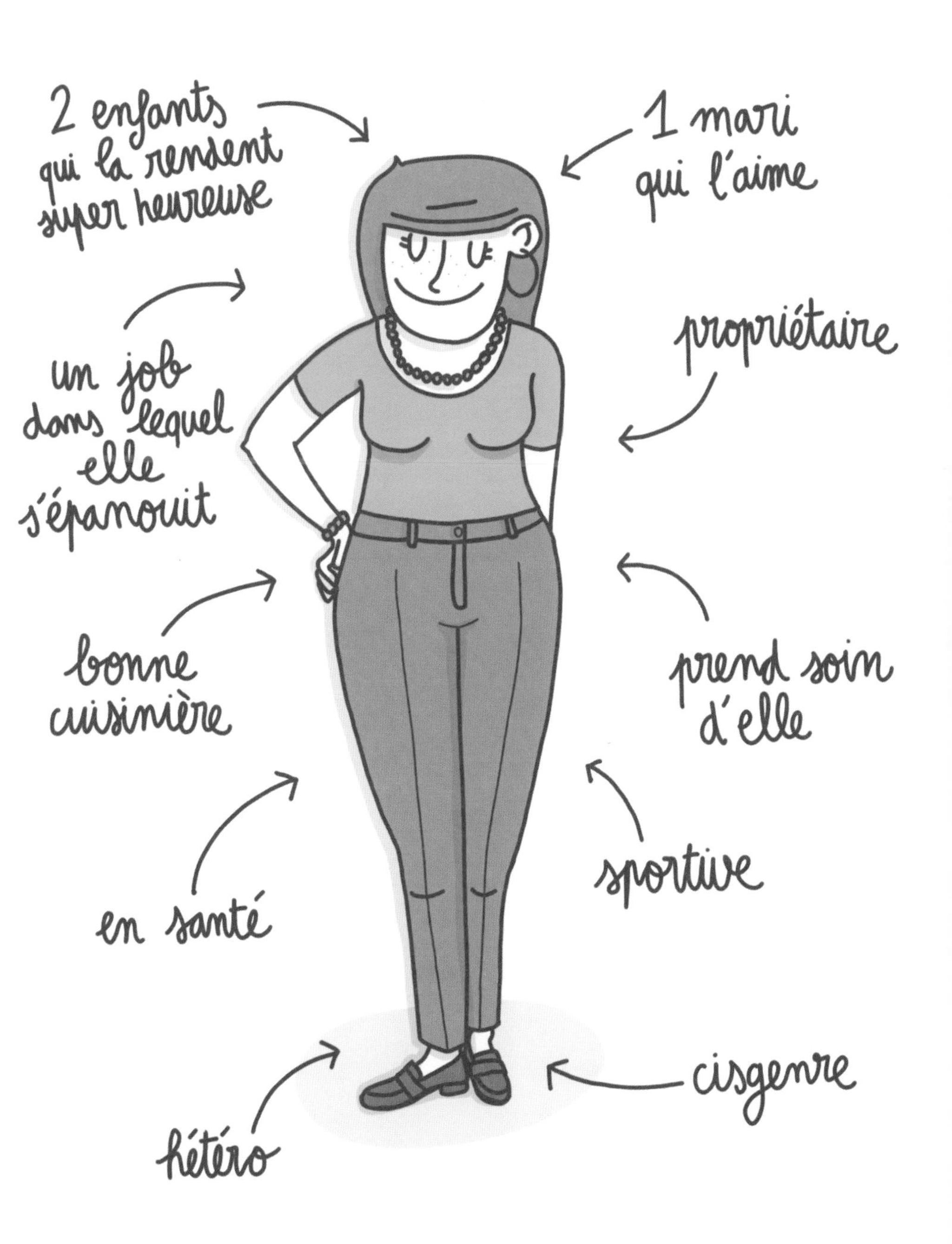
2 enfants qui la rendent super heureuse
1 mari qui l'aime
un job dans lequel elle s'épanouit
propriétaire
bonne cuisinière
prend soin d'elle
en santé
sportive
hétéro
cisgenre

Oui, je sais, c'est caricatural.
Mais il y a clairement un moule à respecter, un espace de "normalité".

Je me rends compte que mon désir d'enfant est aussi relié à ma volonté de revenir dans le moule après mon cancer.

Mais revenons aux stéréotypes.

UN STÉRÉOTYPE

Un stéréotype est une croyance basée sur la réalité. On applique les stéréotypes aux humains comme une sorte de catégorisation sociale.

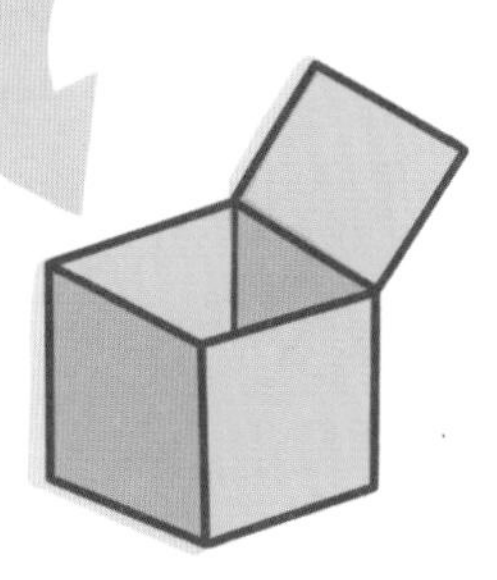

Une SIMPLIFICATION tellement pratique, qui évite toute surchauffe du cerveau.

GÉNÉRALISATION sans vérification

=

JUGEMENT automatique

mettre les gens dans le moule

mais aussi se mettre dans le moule

Le moule de la femme épanouie agit sur les femmes comme une MENACE. Le moule de la femme épanouie est induit par la société mais finalement imposé par les femmes elles-mêmes.

Elle a 40 ans et elle a pas d'enfant !?
HOUUUU!!!!
Il faut que j'aie un enfant avant 40 ans!
Pourquoi? Je sais pas mais il FAUT!

C'est une vraie menace pour nos aspirations réelles, pour le développement des capacités aussi (genre je suis nulle en maths parce qu'on me répète tout le temps que les filles sont nulles en maths).

L'IMPACT ?

Je me rentre, je vous rentre, on me rentre, on nous rentre dans le moule.

Ce qui entérine les stéréotypes et les renforce.

Mais comment désactiver
la menace des stéréotypes?

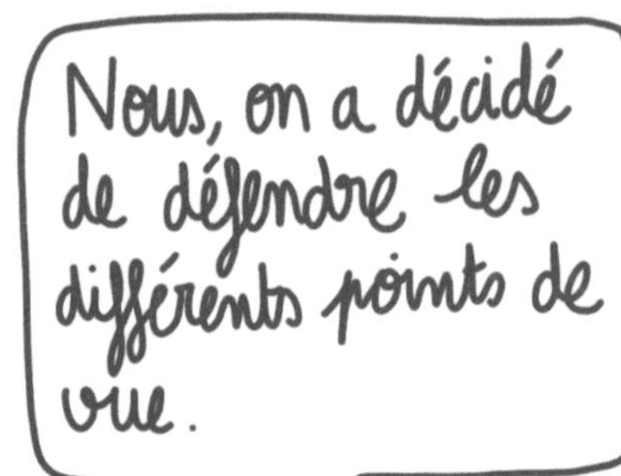
Nous, on a décidé de défendre les différents points de vue.

SI JE VEUX !

UN ENFANT
QUAND JE VEUX !
AVEC QUI
JE VEUX !

un enfant
si je veux

Aujourd'hui, il y a **moins de tabou** à dire qu'on est **une femme épanouie** et qu'on n'a **aucun désir d'enfant**. J'ai fait un appel sur les réseaux sociaux. Voici un extrait des nombreux **témoignages** que j'ai reçus.

Cyrielle, 25 ans

- Je n'ai jamais voulu d'enfant.
- C'est ancré en moi, comme ma sexualité ou ma peur des araignées.

Emmanuelle, 27 ans

- Petite, je me voyais maman, mais depuis j'ai changé d'avis.
- Je n'aime pas comment tourne le monde aujourd'hui et je ne veux pas l'imposer à un enfant.

Mathilde, 27 ans

- Ado j'avais plus peur de tomber enceinte que d'attraper le sida !
- J'appréhende la pression sociale passé 30 ans !
- J'aimerais que ma génération généralise ce non-désir.
- Peut-être qu'un jour, "je veux pas d'enfant" sera aussi anodin que "j'aime pas les navets."

Fernanda, 39 ans

- J'ai voulu des enfants jusqu'à 30 ans.
- À 30 ans, je me suis autorisée à m'imaginer sans. Au Brésil, les femmes sont programmées pour être mères.
- J'ai découvert un autre chemin et je m'y suis sentie vraiment très libre !

Marie, 29 ans

J'ai toujours pensé que je serais mère à 27 ans. Arrivée à 27 ans, je me suis rendu compte que j'étais loin d'être prête et puis que finalement je n'en voulais pas. Simplement, je ne l'assumais pas !

Solenne, 29 ans

- Je n'ai jamais ressenti le désir d'être mère.
- Ça fait partie de mon identité, comme être hétéro, têtue et gourmande.
- Je voudrais une case « pas d'enfant et c'est normal ».

Maylee, 26 ans

- J'ai toujours pensé que je serais une bonne mère.
- C'est l'impact des naissances sur l'environnement qui m'a vraiment fait changer d'avis.

Maud, 41 ans

- À 36 ans, j'ai arrêté ma contraception pour éventuellement essayer mais ça m'a carrément angoissée. Le message était clair : je ne veux pas d'enfant !
- L'accepter a été libérateur !

Solène, 17 ans

- Je le sais depuis toujours !
- Ma mère veut tellement être grand-mère que j'ai l'impression d'être juste un ventre !

Anna, 25 ans

- Pareil, je le sais depuis toujours.
- On a tous le réflexe de s'imaginer plus tard et, quand je le fais, je ne me vois pas avec des enfants.

Natacha, 43 ans

- Mon mari a déjà 2 enfants et ça me suffit !
- Tout le monde pense que c'est lui qui n'en veut plus. Et je suis toujours obligée de me justifier en expliquant que c'est moi.

Camille, 21 ans

- Je suis en couple avec un homme plus âgé qui a 2 enfants et il paraît que je suis la meilleure belle-mère du monde !
- Je suis en processus de stérilisation, mais c'est compliqué parce que je suis nullipare (qui n'a jamais porté d'enfant et accouché).

Carmen, 29 ans

J'y réfléchis régulièrement et la réponse est toujours la même : NON !

ET LES HOMMES?

Pareil, j'ai fait un appel à questions sur les réseaux sociaux. Bon ben, j'ai eu vraiment beaucoup moins de réponses. Après, c'est peut-être pas mon lectorat!

Martin, mon compagnon

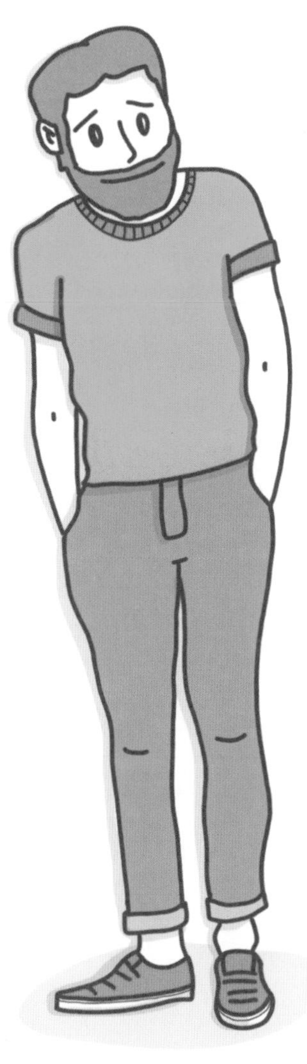

« J'ai toujours aimé m'occuper des plus petits que moi. »

« Aussi longtemps que je me souvienne, j'ai toujours voulu des enfants. »

« Même si c'était pas COOL pour un garçon d'être "maternel". »

« J'ai pas eu de modèles d'hommes qui s'occupaient d'enfants, plutôt des contre-modèles. »

Yann, 33 ans

« J'ai toujours eu un désir d'enfant, et ça s'est affirmé vers mes 17-18 ans. »

« Quand j'ai accepté que j'étais gay, j'ai su que le projet allait être compliqué. Mais je n'ai jamais douté qu'il pouvait se concrétiser. »

« Je crois qu'orientation sexuelle et parentalité sont dissociées. »

« Les gens sont souvent persuadés que je suis papa. La vérité c'est que je le suis… Même si je n'ai pas d'enfants, je suis un papa-né ! »

Gabriel, 22 ans

« Mon désir d'enfant est né vers mes 13-16 ans, je dirais. »

« Mes grands-parents ont un sens de la famille très puissant, je crois que ça vient de là. »

« Je voudrais être un père très présent, à l'instar du mien. »

« Et même si j'ai des enfants biologiques, j'ai aussi très envie d'adopter. »

un bébé à tout prix ?

Bien sûr, il y a la question du choix et du désir, mais aussi celle de la possibilité. Parce que, quand bien même je voulais un enfant, est-ce-que, pour autant, j'étais en mesure de le fabriquer?

Je t'ai déjà un peu expliqué mon parcours médical. Il y avait de fortes probabilités pour que je sois infertile et que je ne puisse pas faire d'enfant.

Prendre la décision

Essayer naturellement

Je sais que j'aurais alors eu recours à des solutions comme la PMA, la GPA ou l'adoption. Mais est-ce que c'est pas super individualiste de faire ça ? Est-ce que c'est pas juste de la satisfaction personnelle ? Jusqu'où peut-on aller pour réaliser ses désirs ? Quel prix on est prêts à donner pour une GPA (gestation pour autrui) ou une adoption (oui, il y a des frais et cela peut être très très cher) ? Quelles douleurs on est prêtes à faire subir à nos corps pour une PMA (stimulation ovarienne, ponction...). Et jusqu'où j'aurais été prête à aller ?

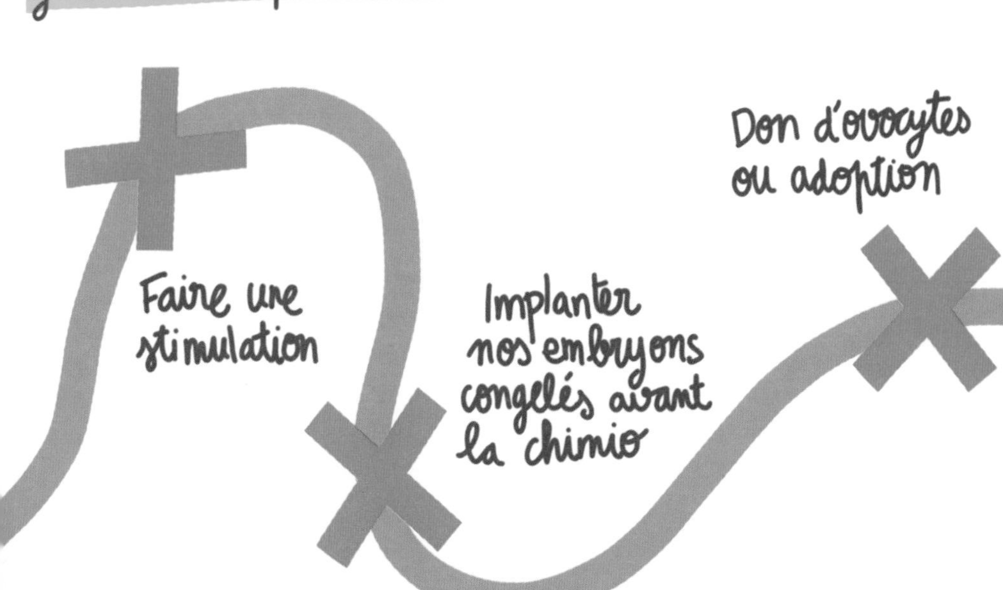

Franchement, j'étais prête à TOUT !

J'étais absolument pas flippée !

Alors que 2 ans plus tôt, avant le cancer, j'y pensais pas vraiment !

Dans 2 ans... Ou 3... 4... Voire plus... Oh, on verra ça plus tard !

C'est quand même fou. J'étais prête à me lancer dans un processus de procréation assistée, voire d'adoption, sans avoir aucune idée de ce que c'était vraiment. Si c'était faisable, accessible, compliqué... Et comme pour moi ça a fonctionné sans aide, je n'en sais toujours pas plus !

Heureusement j'ai rencontré Manon, chercheuse en sociologie au CNRS, dans le cadre de sa recherche de post-doctorat sur la parentalité après le cancer.

Elle venait de finir sa thèse sur l'accès à l'assistance médicale à la procréation pour les femmes de plus de 40 ans.

!
Han! Mais c'est parfait!
Tu veux être ma copine?
J'ai pleiiiiiin de questions!
T'es d'accord, hein? Hein?

Manon a décidé de s'interroger sur ce qui fait que, dans une société, on passe de l'interdit à l'accepté, de l'immoral au moral. Manon a choisi la PMA pour exemple.*

Bon, je vais essayer de te résumer les 7 ans de ma thèse.
Pour commencer...

* En 2008, dans le cadre de la révision de la loi concernant l'assistance médicale à la procréation (PMA), les prises de positions et les réactions ont été super virulentes.

Procréation Médicalement Assistée

C'est l'ensemble des techniques médicales qui aident à la procréation.

1 couple sur 6 a des difficultés à avoir un enfant.

Les causes

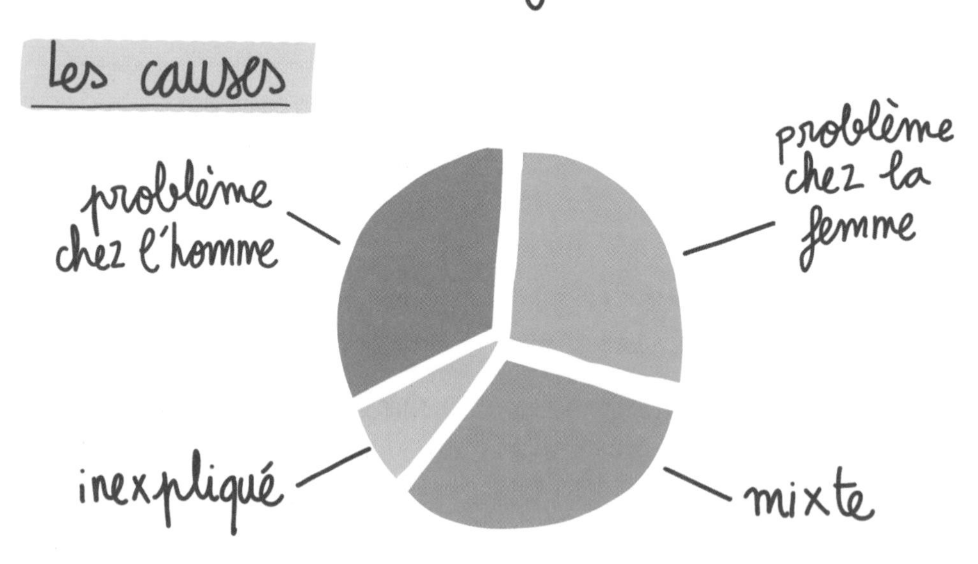

POUR QUI ?

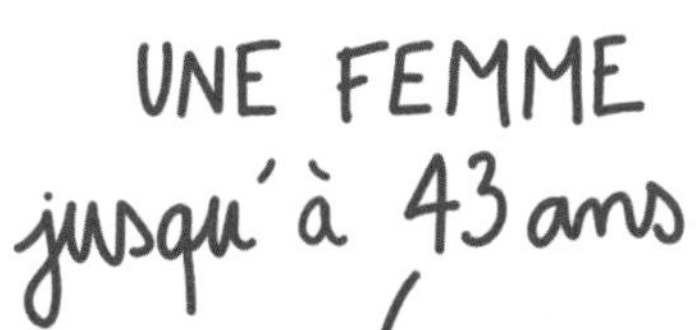

+

UN HOMME
jusqu'à 58 ans

âge limite déterminé par **la biologie** ≃ fin de la période de fertilité estimée = réserve ovarienne de moins bonne qualité.

âge justifié par une **raison plus sociale** = capacité à rester en vie et en bonne santé jusqu'à la majorité de l'enfant.

Fertilité et schéma familial

Nos arrière-arrière-grands-mères

Puberté : 14 ans
Nombre d'enfants : jusqu'à 12 enfants, le dernier parfois à 48 ans.

Aujourd'hui

Puberté : 11-12 ans
1 à 2 enfants
Âge moyen au 1er enfant : 28 ans

La période de fertilité débute plus tôt mais s'achève aussi plus tôt (sûrement à cause de la pollution et des perturbateurs endocriniens). Le schéma familial a aussi évolué (moins d'enfants, plus tardivement).

La PMA est autorisée et remboursée (en France) pour les couples hétérosexuels. La loi se base sur la capacité théorique du couple à se reproduire naturellement.

Elle exclut les femmes de plus de 43 ans, les lesbiennes et les célibataires (situés hors cadre théorique d'une reproduction "naturelle").

À l'heure où je finis cette BD, le Premier ministre Édouard Philippe vient d'annoncer que le texte sur l'ouverture à la PMA pour toutes les femmes est prêt à être examiné par l'Assemblée nationale.

En France, la PMA est autorisée dans les cas où ce serait "naturel" d'avoir un enfant, pour répondre à une infertilité pathologique.

En dehors de ce cadre, les demandes sont considérées comme illégitimes car l'infertilité est jugée "normale".

Ainsi, les femmes de plus de 43 ans, célib', en couple homo qui veulent recourir à la PMA se retrouvent parfois accusées de vouloir "s'affranchir des limites de la nature."

Du point de vue des ultraconservateurs, elles mettraient en péril l'humanité !

Et du point de vue de la loi francaise, elles sont dans l'illégalité complète.

Du coup elles ont recours à la PMA à l'étranger et l'humanité se porte bien !

Euh...

Mais l'humain passe son temps à repousser les limites de la nature, nan ?!

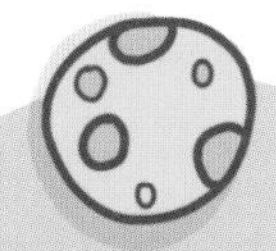

Aller sur la lune

Les OGM

Réparer un coeur

Eh ouais !
Mais avoir des enfants relève de quelque chose de profondément social.
Et toute la problématique est de considérer les limites légales et médicales en fonction de cela.

Ham!

Mais tu dis que c'est
... "Social" ?!

C'est genre... la construction d'un schéma ? D'un statut ?

L'instinct et les pulsions sont des notions très différentes de celles de représentation et de construction !
Mais l'instinct maternel alors ?

carnet de bord
DE MA GROSSESSE

Quand ça devient plus concret …

Dis?
Tu sais t'occuper d'un bébé, toi?
Je sais pas trop comment ça fonctionne, moi!

OUIN

J'ai joué à la poupée. On m'a collé un bébé dans les bras de nombreuses fois. J'ai fait du babysitting. Je me suis occupé de bébés pour donner un coup de main.

J'ai sûrement été plus en contact avec des bébés que toi. Mais j'y connais pas grand-chose en fait !

Et peut-être que je vais te faire croire que je maîtrise !

J'ai PEUR de me transformer en monstre super-protecteur qui va rien te laisser faire et tout critiquer !

J'ai envie qu'on apprenne ensemble !
Tu vois ?

Hein?
Eh! Oh?
Pfffff... Bah ça commence bien!
ZZZZ

De plus en plus, j'ai la drôle d'impression d'être

SOUS SURVEILLANCE

Comme si j'étais une machine. Une machine qui fabrique un enfant.

Je me sens responsable !
Mais pas genre « je suis une adulte, je fais mes courses, mon ménage et mes feuilles d'impôts... »

NAN une responsabilité ÉNOOOOORME !
Comme si cet être en devenir appartenait à TOUT LE MONDE
pis que tout le monde le surveillait !!!

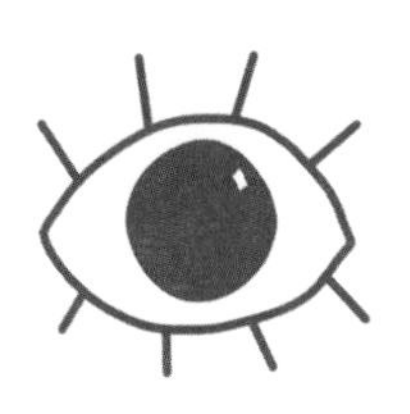
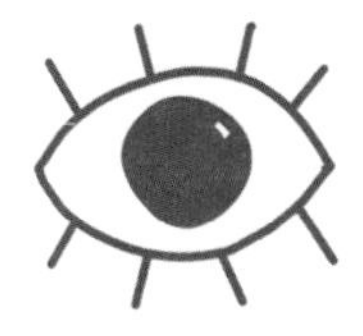
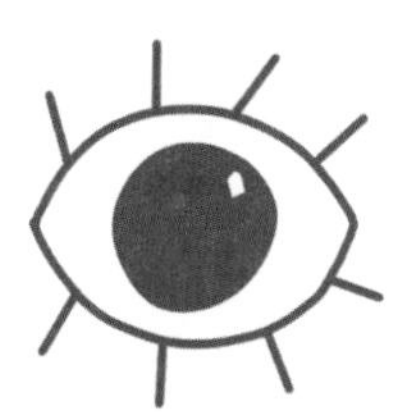
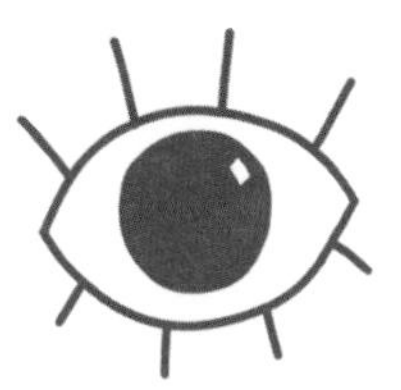

PAS D'ALCOOL!
PAS DE CIGARETTE!
PAS TROP DE POIDS!
PAS TROP DE SUCRE!
PAS DE VIANDE CRUE!

...

obligation vie saine

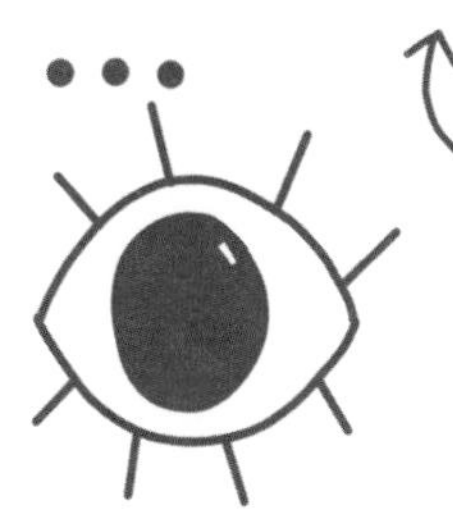
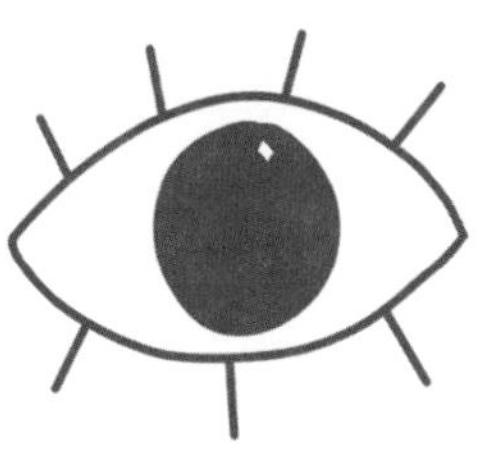
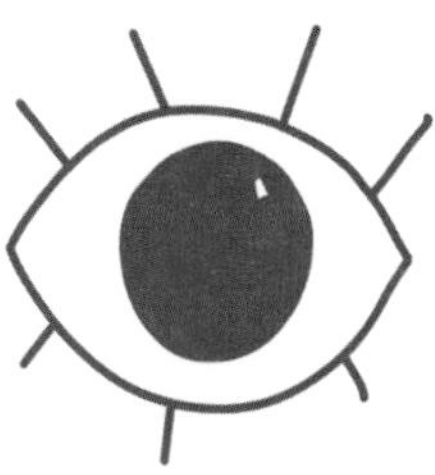
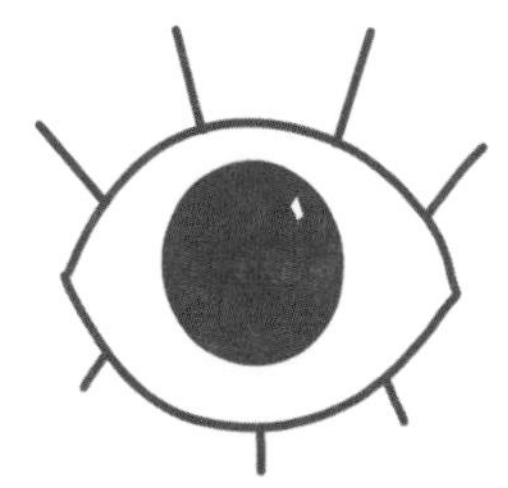

Nan mais allez-y, tripotez-moi, faites comme si c'était votre ventre !

WAOUUUH

parfaite inconnue

a mais quel beau ventre! Vous ê
moins à 7 mois nan? Oh vous dev
tellement heureuse et épanouie!
adoré être enceinte, c'était les meille
ments de ma vie! Et je me sentais BEL
le papa, il est heureux le papa? C
e premier? Oh je suis sûre que c'e
fille vu la forme de votre ventr
là, vous fumez pas hein! Pas d'al
plus hein! Parce que la cousine de
e soeur, elle a bu une coupe de
mpagne et son bébé est né avec u
bisme, donc il faut faire très atten
ttention avec le soleil parce que ç
un masque de grossesse et ça s'e
jamais, une sorte de masque auto
yeux! Alors attention! Toujours de

JE ME SENS PAS DU TOUT SOUS PRESSION!
épiée, sous tutelle, considérée comme irresponsable...
Sous chimio, j'avais les mêmes restrictions et bizarrement tout le monde m'a fait confiance!

Je me sens comme une propriété collective, obligée d'être fière, d'aimer mon ventre, de le montrer...

Allez, c'est bon, oubliez-moi un peu !
J'vous enverrai une carte postale !

Et en plus, 9 mois c'est long...

Je suis paniquée, mais le plus souvent, ça va. Je me dis que ce que je vis est plutôt banal puisque beaucoup de gens font des enfants.

Et il faut dire que souvent j'oublie...

9 mois d'oscillement entre oubli, panique et un peu d'excitation. 9 mois à me rassurer en me répétant que tout ça est bien ordinaire. Bref, 9 mois c'est long !

Google

vendre un bébé|

Ne me dis pas que t'y as jamais pensé !

Est-ce que je vais l'aimer ?

C'est la question qui me fait le plus flipper!

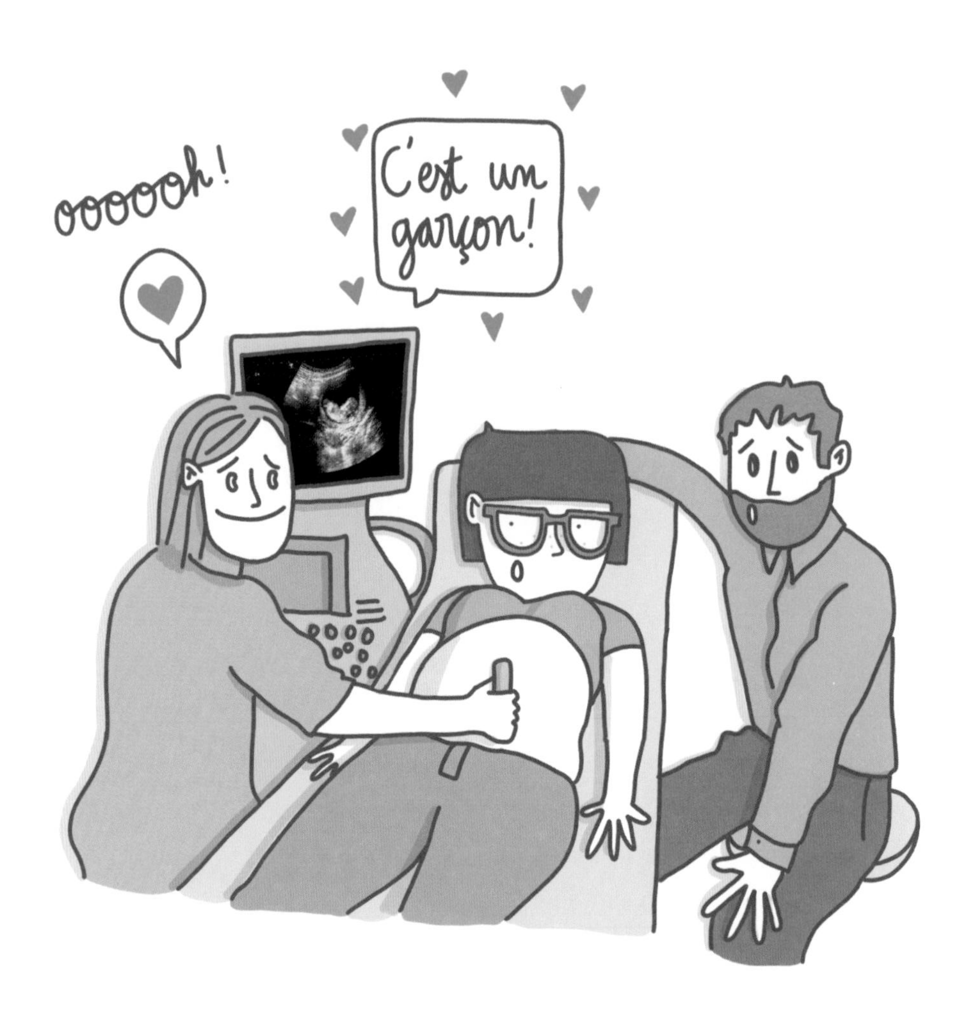
ooooh!
C'est un garçon!

Vous surjouez, là?
Nan, ça me met toujours dans cet état!
Hannn! Et moi je ressens rien! Je suis sans cœur! Si ça se trouve, je vais pas l'aimer!
Il est où son zizi?

MOI, MAMAN ?

Parfois je me demande si je vais aimer cet enfant et surtout comment? Quelle place il va prendre dans ma vie? Comment je vais me sentir face à lui la première fois?

Et si je l'aimais pas?
Si tout ça ne me plaisait pas?
Si je ne ressentais rien?
Han! Et si ça me plaît pas, il se passe quoi?
Shit, c'est trop tard, je suis foutue!

Tu crois qu'il a tout entendu?
Je vais le traumatiser in utero?
Allez, ça commence!
Je culpabilise alors qu'il est même pas encore là!

À la découverte de MONSIEUR X

Pour préserver la vie privée de mon fils...
je le nommerai Gérand dans les planches de cette B.D.
Je me demande si un jour il lira toutes ces pages...
Et si ça le fera rigoler?

Gérard

Le jour J

L'ACCOUCHEMENT

Katherine Heigl dans *En cloque mode, d'emploi*, 2007.

On a tous en tête des histoires d'accouchements horribles ! À la télé et au cinéma et quasi à chaque fois que quelqu'un en parle : la femme est couchée sur le dos et huuuuuuuuuuurle !

meilleure position pour les manipulations des médecins ?

héritage judéo-chrétien « tu accoucheras dans la douleur... »

C'est TELLEMENT traumatisant !!!
Tu m'étonnes que plus jeune je voulais des enfants mais sans accoucher !
Et qu'aujourd'hui encore j'ai peur !

Alors qu'il y a plein de manières différentes d'accoucher !

Ça serait trop bien de choisir. Hum, pour ça il faudrait pouvoir rendre disponibles toutes ces méthodes et ça c'est un autre débat.

Bon parfois, j'ai aussi l'impression que c'est un concours pour l'accouchement le plus cool, le plus fun, le plus...

WOUAHH!
Et au moment d'expulser, on a fait venir un orchestre de Mariachi!
Han! Et quand il est sorti : explosion de paillettes!

Après 38h de travail, Henriette est née ! La Maman est super fatiguée, mais tout le monde va bien !

Ah... T'as eu une césarienne... T'as pas accouché naturellement par voie basse...

BRAVO et félicitations à vous 2 ! (38h ça va, ma femme c'était 46h !!!)

T'as eu combien de points toi ?

!
MAIS MERDE
Lâchez-vous,
lâchez-nous
la grappe !

J'ai envie qu'on me donne d'autres images de l'accouchement que celles que véhiculent les stéréotypes. J'ai envie d'écouter plein d'histoires différentes pour choisir la manière qui me convient le plus. J'ai envie de me réapproprier la chose...

J'ai déjà tout oublié !
J'ai jamais eu aussi mal de toute ma vie !
Lalalala j'entends rien !
J'ai failli mourir !
J'ai cru que j'allais crever !
Ouh, je me fais encore pipi dessus quand je ris !
Fiou, j'ai eu 10 points d'épisio* !

*L'épisiotomie est un acte chirurgical qui consiste à inciser la peau et le muscle entre le vagin et l'anus pour laisser passer l'enfant. Ce geste préventif est aujourd'hui remis en question.

Et c'est là qu'il est arrivé !

Le divin enfant

Il est arrivé un jeudi à 6h du matin. Est-ce que je ressens quelque chose ? Oui, de la fatigue ! Mais non, pas d'amour instantané. Par contre, j'ai envie qu'il vive ! C'est bizarre, j'ai une peur incontrôlable qu'il meure. Oui, je l'ai porté neuf mois alors ce serait dommage. Et surtout, j'ai très envie de faire sa connaissance.

La sage-femme dépose Gérard sur mon ventre. C'est chaud, humide, gluant et lourd. Un animal. Ça me fait penser à un poulain naissant. Je pleure, mais de fatigue, pas vraiment d'émotion (car c'est un peu fou de réaliser ce qu'il se passe !)

Je suis très enthousiaste et captivée

Fatiguée mais excitée (sûrement l'adrénaline)

Mes émotions sont floues

Y a ce côté super stimulant de la nouveauté

On est quel jour ?
Il est quelle heure ?

Je n'ai pas peur de lui. Mais j'ai peur de lui faire mal!

Martin et moi, on vérifie très souvent s'il respire

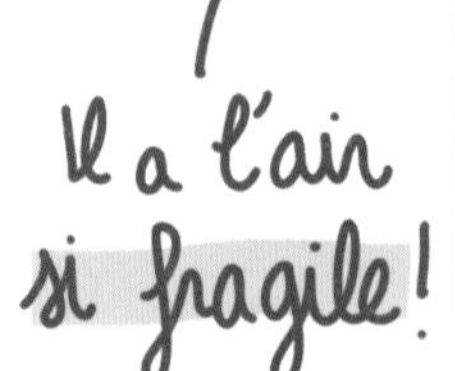

Il a l'air si fragile!

Comment je me sens durant ces 3 jours à l'hôpital

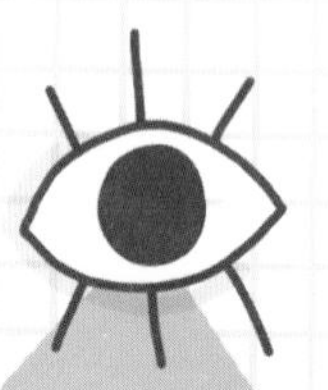

Regarder Gérard béate!

Je ne sais même pas pourquoi je pleure!

Regarder ma chatte dans un miroir.

Je me demande toujours pourquoi on a fait ça ?!

Et en même temps c'est tellement magique !

Papa + Gérard, jour 3

Le tenir dans nos bras est assez fascinant

Adrénaline !

Gérard

Ma vie est foutue ! Pourquoi j'ai fait ça !

Mon corps ! Si quelqu'un me fait une remarque, je lui casse les dents !

gniiiiii
Oh, il est tellement mignon!
Kikikou!

Et puis tu n'es plus au centre de l'attention… Les conséquences morales et physiques de l'accouchement, le soudain désintérêt massif et général, la fatigue, la solitude, un corps post-accouchement, l'arrivée d'un nouvel être… J'ai entendu plusieurs fois parler du baby blues, de la dépression post-partum qui serait due aux hormones, comme un passage obligatoire, lié au corps et non traitable… Ouin… C'est un peu trop facile !

Et en même temps je suis complètement paumée.

Le petit monde de Gérard

tamagotchi

J'ai l'impression d'avoir un tamagotchi. Mais si, tu sais, c'est un animal de compagnie virtuel japonais. Une petite console de jeu en forme d'oeuf où tu éduques un animal de compagnie.
Oui, parce que tout ça est tellement fou que rien n'a l'air réel. Et en même temps, quand je m'occupe de lui, c'est très concret.

Gérard
- Jour 2 -

Et ses cheveux?

Ok donc, le bain, combien de fois par semaine?

Dans un bain? Une bassine?

Et le biberon?

Avec du savon?

Gérard

- bain
- biberon
- dodo
- température

Et ça dort combien par jour?

Et on lui met de la crème?

On le sèche?

Et c'est quoi sa température normale?

Je vais quand à l'hôpital?

Quand il pleure ça veut dire quoi?

Il faut l'habiller?

Les bonbons c'est okay?

Il peut regarder la télé?

Gérard
- Jour 3 -
Comment ça, tu pars 1 heure pour chercher la voiture !
Non, mais me laisse pas seule avec lui...
J'ai trop peur !
Sinon c'est moi qui vais chercher la voiture !
Ou alors on rentre à pied ?

De ma responsabilité?

J'ai pas l'impression de savoir plus que mon mec comment il faut s'en occuper.
Ni de l'aimer plus.
Et pourtant, tout le monde s'adresse à moi quand il s'agit de notre enfant!

Lili? Tu le nourris?

Lili? Ça va? Tu dors?
Lili? Tu as tout ce qu'il te faut?
Oh Lili! Attention il régurgite!
Lili? Il faut peut-être que tu le changes?
Lili? C'est quoi, son groupe sanguin?

WOWOWO! STOP!

C'est quoi ce délire, vous m'expliquez?
!
Comme si d'instinct, j'allais savoir quoi faire...

Elle va nous démasquer!

Il faut qu'on agisse vite!

Tu as raison!

On convoque la crèche, le pédiatre, les voisins, les tantes, le boulanger, la dame du marché...

Oui et tout le monde s'adresse à elle!

Gérard
-1 mois-

Sa marraine

Élise est la marraine de Gérard.
Elle est venue à la maison pour le rencontrer et m'aider.
Elle sait prendre soin d'un bébé, elle s'est beaucoup occupée de ses petites soeurs.
Elle, elle n'a pas peur!

C'est génial ! Et en même temps, c'est très déstabilisant…

Si je disparaissais, elle s'occuperait de lui et gérard irait très bien ! C'est vrai, ça tient à quoi le statut de mère, de parent ? Gérard ne sait pas qu'il est sorti de mon vagin. Lui, ce qu'il veut, c'est survivre. Et il s'attache aux personnes qui prennent soin de lui !

Lili?
Je te prépare un café?
Je suis TA Mère!

Gérard
-1 mois 1/2-

Retour de la panique et des questions :

Ok, il entend pas !

ME LAISSEZ PAS TOUTE SEULE TOUTE LA JOURNÉE AVEC LUI !!!

Martin a repris le travail

La marraine est repartie

J'ai peur de rester seule avec lui

Il a pas beaucoup de conversation !

J'ai besoin d'un peu de stimulation intellectuelle

Est-ce que je vais y arriver ?

Gérard
- 2 mois -

Je suis heureuse qu'il soit là et qu'il existe. Et en même temps, je ne serais pas triste s'il n'était pas dans ma vie. Mais puisqu'il est là, je suis contente.

Gérard
-2 mois-

Mais petit à petit...

MAMAN est de retour !

Je rentre d'un déplacement. Je suis ravie de rentrer et de retrouver Gérard !

… je crois que je me fais prendre.

Et après, on dit qu'un enfant a besoin de sa mère !

Gérard
-3 mois ½-

Tomber amoureuse

S'il meurt, ça serait terrible. Alors qu'avant, je me disais qu'il était remplaçable. Je sais, c'est dur, mais pour cette Bd, je dois être sincère ! Je crois que c'était une manière de me protéger. Aujourd'hui, je me sens bizarrement amoureuse. Une nouvelle forme d'amour.

Mon chéri, reviens ici !
Maman t'aime !
Elle veut pas que tu meures !
Alors reste à côté d'elle !
Tu ne t'éloignes pas à plus de 1m !

Gérard
-4 mois-

Ma came !

Maintenant je suis impatiente de rentrer à la maison, d'aller le chercher chez la nounou, de le voir.

Bref, je suis complètement accro à mon bébé!

Plus j'y pense, plus je me dis qu'il y a comme une tactique...

La tactique des bébés !

Est-ce que les bébés, c'est mignon parce que c'est petit ?

Et est-ce que tout ce qui est petit est mignon?

gros rat
petite souris
grosse araignée
petite araignée
gros caca
petit caca
gros vomi
petit vomi

Ce serait pas carrément une ruse pour qu'on s'occupe d'eux?

On est dépendants, sans aucune autonomie.
Les adultes doivent tout faire pour nous. C'est une question de survie!

IL NOUS FAUT UNE STRATÉGIE COMMUNE!
Et être mignon est la meilleure stratégie! C'est d'une efficacité à toute épreuve!

Oh! Mais quelle est cette odeur nauséabonde ?
Tu n'aurais pas pété, ma chérie ?
Oh mais non, suis-je bête ! Tu es trop mignonne pour ça !

On rigole, on rigole, mais figure-toi que l'anthropologue Sarah Blaffer Hrdy a établi une théorie selon laquelle les bébés auraient effectivement développé une stratégie de séduction :

Ok, les bébés, parlons de notre nouveau plan pour cette année !

Mon hypothèse était juste! Il existe bien une stratégie des bébés!*
PUTAIN j'aurais dû être anthropologue!**

...
Han c'est pour ça que les parents ne voient pas que leur bébé est moche!

* C'est juste une partie du travail de Sarah Blaffer Hrdy, Les instincts maternels, Payot 2002. ** Je rigooole! Bisous les anthropologues!

Ouh mon chéri
omme tu es beau!
hhh le plus
mign e tous
les du
mond ntier!
Mon cœur que

!
Attends, il se passe quoi, là ?
Je suis... Je suis en train de devenir une maman ?

C'EST FOU PARCE QUE JE PENSAIS QUE

devenir MÈRE

C'ÉTAIT

super banal

Et comme c'est censé être instinctif et naturel, je ne m'y suis pas préparée.

ALORS QUE C'EST

l'expérience

LA PLUS

SINGULIÈRE

que j'aie jamais vécue !

On ne naît pas mère, on le devient ?

Élever un enfant

Éduquer, assurer le développement physique et moral.

Mon papa
Tiens je t'ai rapporté un magazine que j'ai trouvé dans la salle d'attente.
Y'a cette interview de Keira machin truc, je me suis dit que tu voudrais la lire.
COSMO

Keira Knightley
« Je ne pense pas que nous accordions suffisament de crédit aux femmes pour le marathon physique et émotionnel qu'elles vivent lorsqu'elles deviennent mères. [...] je trouve que c'est vraiment p...... de difficile. Il n'y a pas de problème à le dire. »
Cosmopolitan, janvier 2019
HAAN!
Ma maman
Je répète ça depuis toujours mais personne ne m'écoute !

Je suis COMPLÈTEMENT d'ACCORD avec elle. S'occuper et élever un enfant, c'est ce qu'il y a de PLUS DUR au MONDE!

Tu m'étonnes que les hommes ne veulent pas le faire!
Et puis c'est complètement dévalorisé! Enfin c'est sûrement parce que c'est une "affaire" de femmes !

Et puis aujourd'hui on est mère comme si on ne travaillait pas. Et on travaille comme si on n'était pas mère.
Double vie, double travail!!!

Donc j'ai le droit de le dire que c'est dur ?
Et là y'a tout un poids qui tombe de mes épaules

Parce que je dois le dire, ce rôle de maman, cette responsabilité ne me plaît pas toujours. Je trouve ça rude ! Mais j'ose pas le dire parce que je crois que j'ai en tête un idéal de "mère parfaite" dont je n'arrive pas à me défaire.

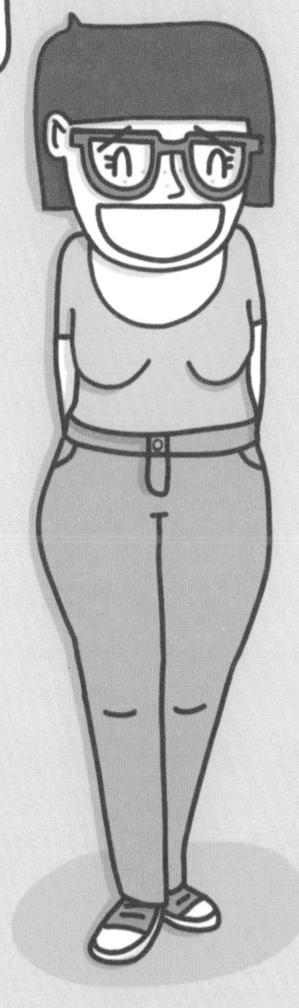

Je dirais que je me sens plus expérimentée, plus aimante, plus patiente et que j'me sens attachée à un petit être humain. Mais surtout, je me sens responsable. C'est sûr que si la crèche, le médecin pis tout le monde arrêtait de s'adresser toujours à moi en ce qui concerne l'enfant...

La construction des mères

Étudions de plus près les mères, leur famille, et leur place dans la société. Puisque tout est lié (sociologie, démographie, anthropologie...), j'ai noté, à travers mes lectures, tous les faits qui m'ont éclairée.*

Je t'ai déjà fait un petit point sur la préhistoire, poursuivons...

*Merci à Manon Vialle, chercheuse en sociologie au CNRS, pour son aide.

Il semblerait donc qu'à la préhistoire, le soin et l'éducation des enfants n'étaient pas juste une affaire de femmes. C'est peut-être d'ailleurs la période la plus égalitaire qu'on ait connue...

MAIS BORDEL

QUE S'EST-IL DONC PASSÉ ?

C'est comme avec la disparition des dinosaures !
Y'a plein de théories mais aucune certitude !

Tout se serait joué au moment de la sédentarisation. Quand l'humain acquiert plus de confort grâce à l'agriculture, l'élevage et l'invention de nouveaux outils et que les familles s'agrandissent...
La femme se retrouve alors à s'occuper des enfants et du foyer = début de la domination masculine

La femme se reproduit et ne produit pas.

La production est valorisée.

La procréation n'a pas de valeur.

Les hommes produisent (activités créatrices) et participent à la sphère publique.

La femme reste cantonnée à la sphère privée.

HYPOTHÈSE DE SIMONE
DE BEAUVOIR

Les hommes se seraient appropriés les positions de pouvoir en réaction aux femmes qui ont le pouvoir d'enfanter.
HYPOTHÈSE DE FRANÇOISE HÉRITIER

Dans une logique plus darwiniste :

À la préhistoire, les femmes auraient privilégié les hommes les plus forts comme géniteurs.

Et ceux-ci auraient pris le pouvoir par la force.

Le statut des femmes aurait commencé à se dégrader.*

philosophe et historienne

CLAUDINE COHEN

* Jusqu'à engendrer la dysmorphie sexuelle.

Voilà déjà 3 hypothèses. Il y en a plein d'autres ! Anyway, continuons notre exploration historique...

EXTRAIT DE MA BD VAGIN TONIC

Antiquité

400 av. JC Aristote et Platon (philosophes et grands penseurs) ont décrété des grosses conneries sur la femme et ont beaucoup influencé la suite des des événements.

la femme est un être incomplet et inférieur

Aristote

Elle dit qu'elle a mal aux dents !?

Au genou ?

À l'épaule ?

Utérus !

Utérus !

Uterus !

Cette théorie de l'utérus, responsable de tous les maux prévaut pendant des décennies !

Aristote (384 av. JC-322 av. JC)
T'es sûre qu'il est de moi ?
Oui, oui !
...
Nan, parce que j'ai appris un truc...
Il paraît que les sécrétions de mon membre sont fécondes.
Donc comment savoir si un bébé est de moi ou du membre d'un autre ?
Mais si tu dis que c'est le mien !
INSTITUTION DU MARIAGE
= permet de garantir la légitimité des enfants...

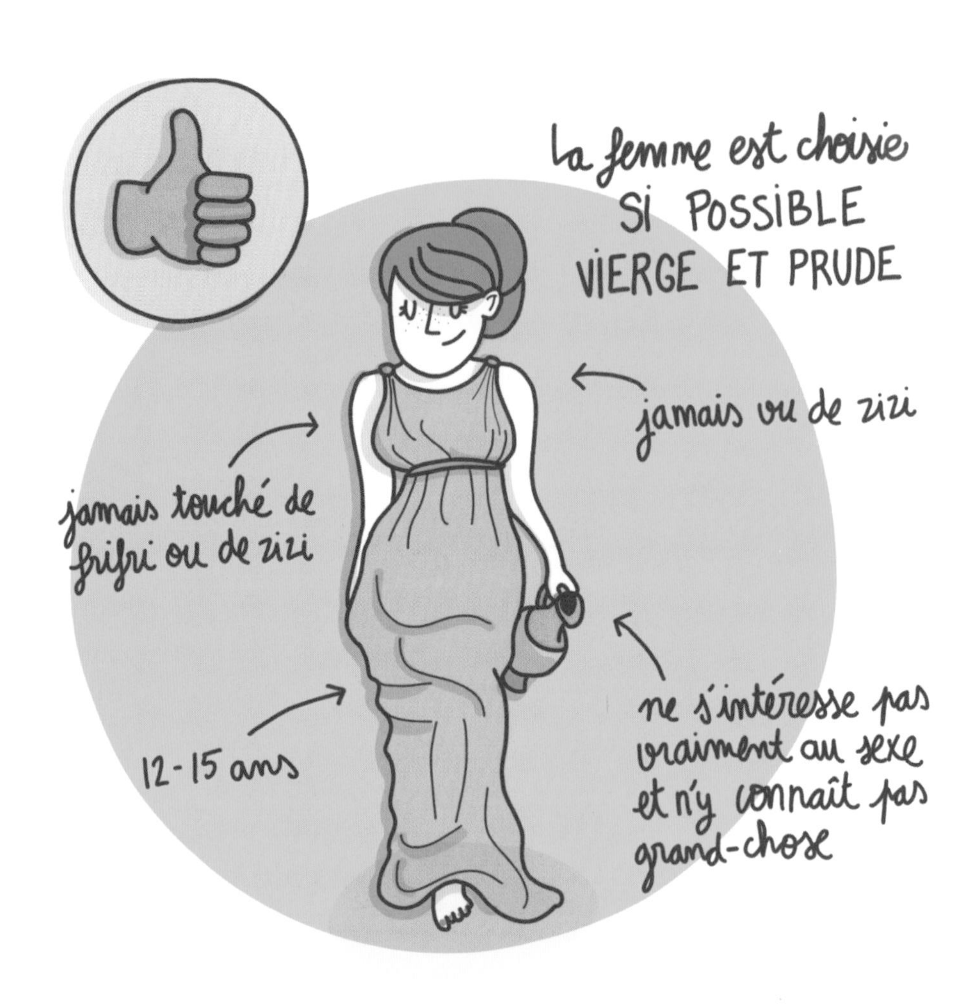

La femme mariée devient **mère de famille** (même sans enfant), ce qui la conditionne à son futur rôle et son unique fonction : **donner une descendance aux citoyens.**

Le mariage permet surtout d'intégrer les notions de filiation et d'héritage. Les hommes deviennent alors des chefs de famille.

institution de la PUISSANCE paternelle

Héritage judéo-chrétien
Psst, ça te dit une pomme, c'est une Pink Lady!
tentation sexe/mal
Naaan! Èeeeeve!
Pas la pomme, c'est un piège!
T'as pas vu la Belle au bois dormant?
faible
Ève croque la pomme = MALÉDICTION divine

Alors la femme prit perpète : "j'augmenterai ta peine et la durée de ta grossesse, tu enfanteras des enfants avec douleur, tes désirs se tourneront vers ton mari, et il règnera sur toi."

Ancien Testament, livre de la genèse, chap. 3.

Ouin, fais pas trop la maligne! Parce que notre enfant appartient à Dieu aussi!
Pis juste après Dieu, y'a moi!

Modèle féminin judéo-chrétien
Ève
la tentatrice
Marie
la vierge
Marie-Madeleine
la pute

Patrick Juvet
Où sont les FEMMES ?
oui hein, où sont les autres femmes? Les déesses grecques, Judith, la reine de Saba...

Bref, la femme est subordonnée à son mari, considérée comme inférieure aux hommes. Mais elle reste autonome côté maternité. Ça reste une affaire de femmes !

Le grand cycle de la vie

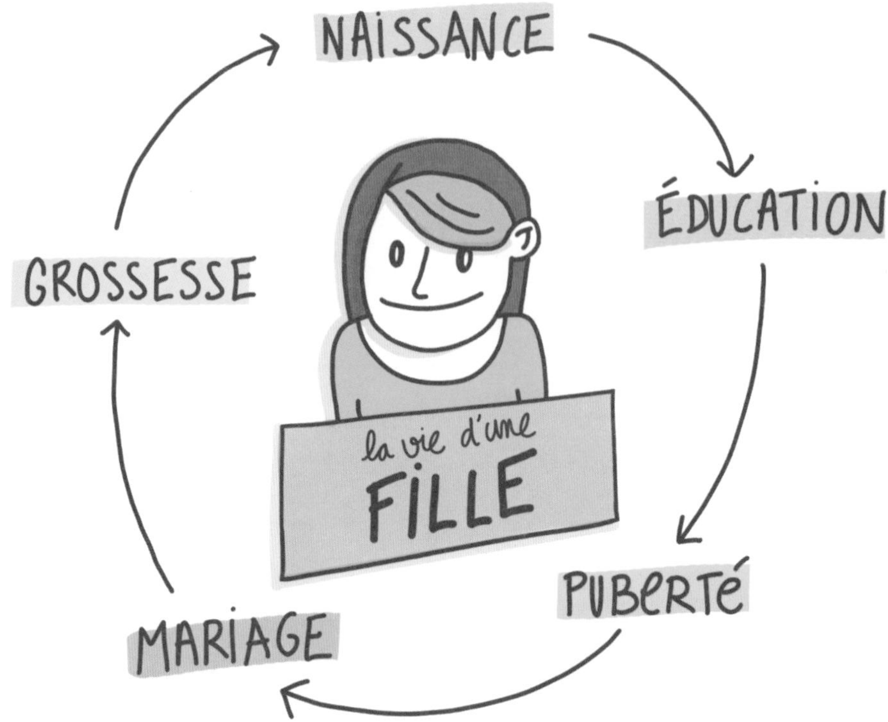

NAISSANCE

ÉDUCATION

PUBERTÉ

MARIAGE

GROSSESSE

la vie d'une FILLE

Une femme a un enfant tous les 20 à 30 mois.
Enfanter est périlleux jusqu'au XXe s.

Soranos d'Éphèse

médecin grec du IIe s. ap. JC

Les Maladies des femmes

livre destiné aux sages-femmes

- conseils grossesse
- diététique
- soins bébé
- périnée
- conseils contraception et avortement
- éducation

institué et imposé par un homme

invention d'un modèle standard qui devient commun

volonté de normer et conditionner la relation mère-enfant

infos utilisées jusqu'au XIXe siècle

Moyen Âge

La femme est considérée comme une mineure, elle est sous la tutelle de son père, puis de son mari. Le tuteur a tous les droits, y compris celui de vie et de mort.

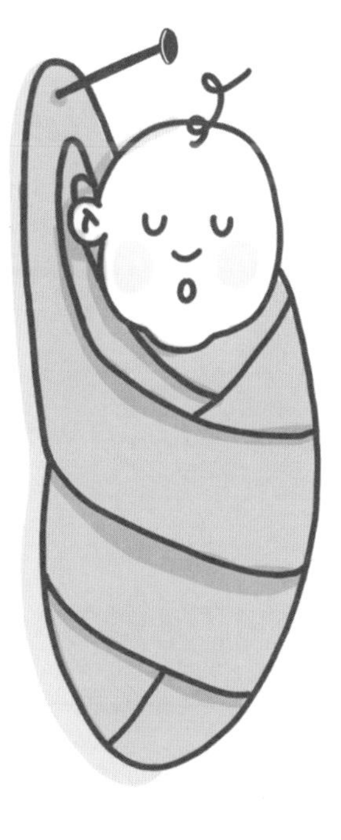

Le soin des nombreux enfants incombe aux femmes. Ceux-ci sont très souvent emmaillotés et accrochés à un clou au mur ou placés dans un panier pendant le travail à la ferme ou dans les champs.

Le devoir prioritaire de la femme reste la procréation puis le soin et l'allaitement. Le rôle du père est de protéger et éduquer.

XVIIIe s.

L'enfant n'a pas de statut privilégié dans la famille. Les bébés sont le plus souvent considérés comme des fardeaux auxquels il ne faut pas s'attacher. Tout gravite autour du père de famille. Un enfant trop présent détournerait l'attention que la femme doit à son époux.

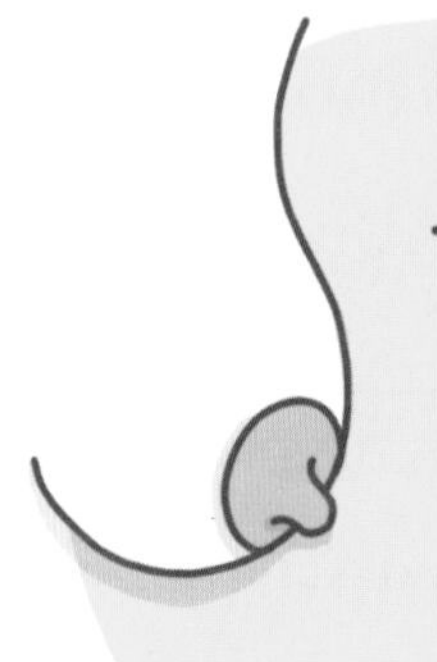

L'enfant est placé en nourrice dès sa naissance et ce dans tous les milieux de la société urbaine. D'ailleurs, certaines nourrices mettent elles aussi leurs enfants en nourrice pour s'occuper des bébés des plus riches.

En moyenne un enfant passe 4 ans en tout avec ses parents. Le reste du temps, il est en nourrice, en internat, en apprentissage, puis au travail.

Tout ça peut paraître extrêmement dur ! Mais autres temps, autres moeurs, comme on dit...
Même si le principe de nourrice est en soi une amorce de modernité !

Pour en revenir à l'école, l'enseignement des filles y est plutôt très médiocre et se limite aux connaissances utiles pour leur futur statut de femme d'intérieur et d'épouse.

Heureusement que des femmes de lettres vont défendre le pouvoir émancipateur du savoir.

Marquise de Rambouillet
créatrice d'un salon littéraire qui met les femmes à l'honneur

Madame de Sévigné
épistolière

Madame Dacier
philologue et traductrice

Et cette volonté d'émancipation entraîne des crispations :

Il faut les arrêter sinon elles vont sortir de la maison, apprendre, se rendre compte de la supercherie, renverser le patriarcat et dominer le monde !
GUYS ! ON EST MAL !

Alors il s'en trouva un très malin, pour inventer une nouvelle science, réservée aux femmes...

Emile ou de l'éducation, 1762.

Et on dirait que vous avez un truc spécial et singulier !
Un super pouvoir ! Comme la kryptonite de Superman !
l'instinct maternel
Et on n'a qu'à dire que c'est vraiment HOT et que c'est un truc juste à vous !
MONTAIGNE
MOLIÈRE
FÉNELON

Ah vous, les femmes, vous êtes géniales !
Hein, les gars, elles sont géniales !

Mais c'était sans compter sur...

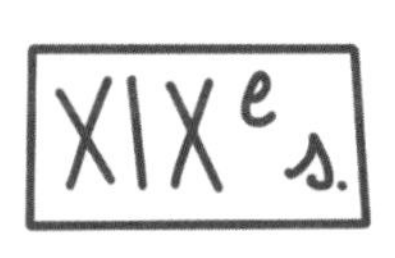

L'INDUSTRIALISATION et la naissance du CAPITALISME

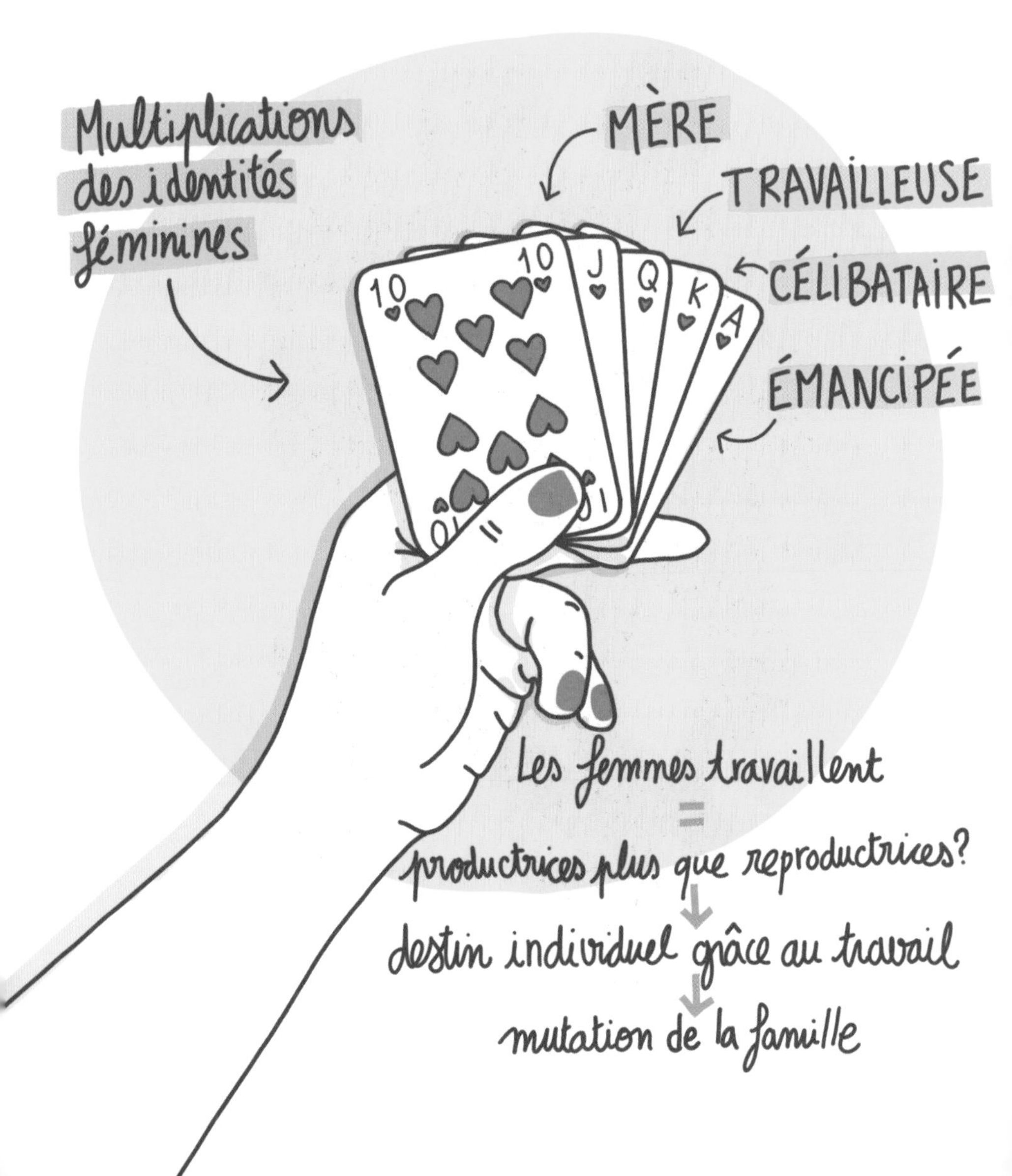

Création obligatoire d'écoles de filles dans les communes de 800 habitants (loi Falloux)

Mais les filles font peu, voire pas d'études. Et elles s'arrêtent lorsqu'elles se marient ou font des enfants...

XXe s. Pendant la 1ère GUERRE MONDIALE

Les femmes remplacent les hommes partis au front.
Elles prennent conscience de leurs capacités et de la possibilité d'une indépendance financière.

Mais les hommes reviennent de la guerre et reprennent leur place, renvoyant les femmes à des métiers auxiliaires.

Cependant, sur cette lancée :

LES FEMMES FONT PLUS D'ÉTUDES

LEUR SALAIRE AUGMENTE

* série d'illustrations réalisée dans le cadre du projet Égamix pour le CIDFF Paca

1972
Reconnaissance du principe
« à travail égal, salaire égal »
1975
Réintroduction du divorce par
consentement mutuel

1909-1913	congé maternité
1924	uniformisation des programmes scolaires
1928	assurance maternité
1932	allocation familiale
1976	mixité obligatoire dans les écoles publiques
1985	égalité des époux et parents dans la gestion des biens de la famille et des enfants

1993
Autorité parentale conjointe quelle
que soit la situation des parents
(mariés, concubins, divorcés, séparés)

*série d'illustrations réalisée dans le cadre du projet Égamix pour le CIDFF Paca

Cependant, malgré toutes ces avancées, les femmes ne participent pas assez à la vie publique. Les attitudes familiales restent très genrées et cadrées.

J'avais besoin de fouiller l'histoire pour comprendre comment s'est construit ce statut social de mère.

Et de manière plus radicale, j'aurais pu aussi m'appuyer sur l'existence des cas d'INFANTICIDES et d'ABANDONS qui ont toujours existé et déconstruisent l'idée même d'instinct maternel.

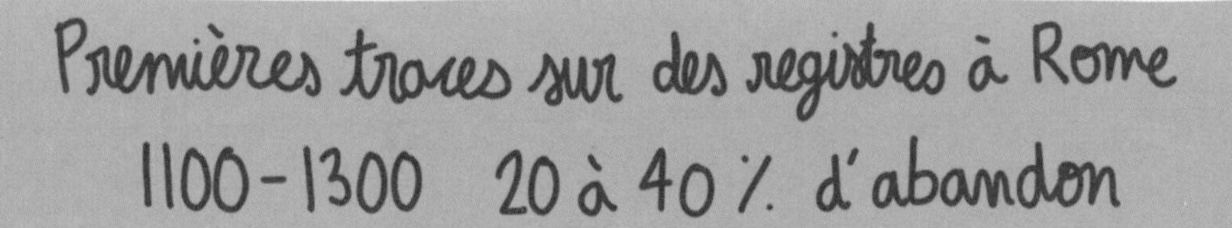

Premières traces sur des registres à Rome
1100-1300 20 à 40 % d'abandon

100 à 200 infanticides /an en France

Enquête Inserm, 2008, Dr Tursz

Je me rends compte à quel point le statut des femmes, leur place dans la famille et leur rôle de mère sont totalement liés. Que plus l'inégalité homme/femme est atténuée, plus le rôle de mère est libre et réinvesti par chacune.
Mais les habitudes sont tenaces : le soin et l'éducation des enfants restent une affaire de femmes.
La preuve, j'ai eu besoin de faire une Bd pour déconstruire cette idée d'instinct et de programmation à la maternité.

La bonne nouvelle, c'est que les inégalités continuent à être comblées et que les hommes s'impliquent plus dans l'éducation et le foyer.
Je sais, je suis optimiste ! Je sais aussi qu'il y a encore beaucoup à faire contre les inégalités et la violence envers les femmes.

Moi, présidente...
2000
Promulgation de la première loi sur la parité politique
2006
Sanction du vol entre époux pour certains documents

2006
Alignement de l'âge légal du mariage pour les garçons et les filles à 18 ans

J'ai dit NON!
NON c'est NON!
2006
Reconnaissance du viol entre époux

• • •

*série d'illustrations réalisée dans le cadre du projet Égamix pour le CIDFF Paca

Et côté paternel ?

Pour en revenir à mon expérience personnelle, je remarque ce genre de choses...

Martin adore son rôle de père et ça lui paraît évident. Mais ce n'est pas si évident pour tout le monde.

sa mère
Oh, mon fils !
ma mère
Il est merveilleux !
Sa grand-mère
Oh Martin ! Il est extraordinaire ! Il a l'instinct maternel !

RHAAA! Ça m'énerve!

Oui enfin je m'énerve, mais on vient de le voir, cette inégalité ne date pas d'hier.

Si on est conscient de la situation, pourquoi ne pas changer, rééquilibrer?
Et valoriser l'éducation pour tout le monde?
Et stopper la faim dans le monde!
Et mettre un terme au réchauffement climatique!
MISS FRANCE

Je me moque, mais il y a une solution assez simple qui a fait ses preuves:

le congé
paternité
obligatoire

Comment ? Pourquoi ?

1950

Peu de femmes sur le marché du travail.

Les femmes n'ont pas le même niveau de formation. Elles ne font pas d'études ou arrêtent en cours.

Les carrières sont réservées aux hommes. Les femmes sont subordonnées

Le salaire des femmes est considéré comme un salaire d'appoint. Il y a toujours un mari qui subvient aux besoins de la famille.

Source : *Pourquoi les femmes gagnent moins*, En Bref produit par Netflix, de Johnny Harris et Sarah Kliff, 2018.

POUR RAPPEL

1850 : création obligatoire d'écoles de filles dans les communes de 800 habitants.

1924 : uniformisation des programmes scolaires masculins et féminins + création d'un baccalauréat unique.

1960

Les femmes ont toujours un faible taux d'éducation.

Beaucoup de femmes sans emploi car leur domaine d'activités est restreint.

Moins payer les femmes est légal.

La société considère que les femmes sont moins intelligentes.

La société considère que la femme doit rester à la maison pour s'occuper des enfants.

1970

La société évolue !

Oui mais l'idée reçue selon laquelle les femmes doivent faire des enfants et s'en occuper reste!

Et aujourd'hui encore, la répartition des tâches domestiques est inégale.

En 1 an, cela représente 3 mois de travail à temps plein.
Étude INSEE 2010

À L'ARRIVÉE D'UN ENFANT

congé paternité
3 jours obligatoires
10 jours ouvrés

congé maternité
4 mois

nouveau rôle de père valorisé
= promotion

retour de congé
moins dispo
maladie enfant,
médecin...

moins dispo
à la maison

pas d'heure sup.
ni de déplacements

Pendant ce temps-là,

EN ISLANDE

En 1975, les Islandaises manifestent contre l'écart salarial. Le mouvement de grève bloque tout le pays.

En 1980, Vigdis est élue présidente de l'Islande. De nombreuses femmes s'impliquent en politique.

1981 : congé maternité de 3 mois

1988 : congé de 6 mois

2000 : congé paternité obligatoire de 6 mois

Quasi plus d'inégalités de salaire
Un employeur n'hésite plus à engager une femme de 30 ans.
Meilleures répartitions des tâches et implication dans l'éducation
Implication des femmes dans les sphères publiques
La société ne considère plus la mère comme "nourricière" et le père comme "soutien"
VOILÀ C'EST ÇA QU'IL NOUS FAUT ! En plus, ils ont l'air heureux les Islandais !

COUPER LE CORDON

Libérée !

Ham! Je devrais avoir honte!
Mais en fait nan!
Haha!

Nan mais j'hésite à culpabiliser!
Faire un enfant pour ensuite le laisser chez la nounou...
Aujourd'hui c'est comme ça. Au XVIIIe siècle c'était la nourrice dès la naissance.
Ça ne veut pas dire qu'il n'y a pas d'amour!
Plus tard on nous jugera sûrement, comme on juge les femmes du XVIIe s.

Bon bref, je suis ravie de laisser Gérard chez la nounou. C'est son métier, elle a de l'expérience. Elle sait mieux s'occuper d'un bébé que moi !

Et quelques jours plus tard, alors que tout se passe bien chez la nounou, moi bizarrement, je me sens moins sa mère. C'est clairement parce qu'on passe moins de temps ensemble. OH ! Mais attends ? Ça serait pas comme pour n'importe quel être humain ? Pour créer du lien, il faut passer du temps ensemble ? Mais la filiation alors ?

LA FILIATION

RÉPUBLIQUE FRANÇAISE
CARTE NATIONALE D'IDENTITÉ N°: 98700000012
Nationalité française
Nom: SOHN
Nom d'usage: SOHN
Prénom(s): LILI
Sexe: F
Né(e) le: 29.08.1984
à: STRASBOURG (67)
Taille: 1,68M
Signature du titulaire:
Sohn
IDFRASOHN<<<<<<<<<<<<<<<<<<<<<<<<<56236
023654848646964LILI<5698611M3<5698611M3
RANÇAISE
0011
Nationalité Française
Nom: DEUXPARDEU
Nom d'usage: DEUXPARDEU
Prénom(s): GÉRARD, ALEXANDRE, ALOÏS
Sexe: M
Né(e) le: 18.01.2018
à: MARSEILLE (13)
Taille: 0,52 M
Signature du titulaire:
IDFRADEUXPARDEUX<<<<<<<<<<<<<<<<<<<<<56236
023654848646964GÉRARDALEXANDREALOIS<611M3

J'ai pris l'avion avec Gérard et j'ai vu ! On a ni le même nom, ni la même adresse (ce qui reflète encore aujourd'hui la conception patriarcale de la famille.)

Je suis désolée, madame, mais qu'est ce qui me prouve que c'est votre enfant !?

EH MAIS ON A LES MÊMES GÈNES
Enfin la moitié !

Ah, sinon, j'ai ce papier !
...
LIVRET de famille
C'est MON bébé parce que c'est écrit là-dedans !
LIVRET DE FAMILLE
OKAY?

C'est bizarre que ce soit ce bout de papier, cette preuve juridique qui me constitue en tant que parent et assure notre filiation.
Mais d'ailleurs qu'est-ce qui fait de moi un parent ? L'avoir porté dans mon ventre ? Ouin...
J'entends plein de théories sur la relation in utero entre le futur enfant et la génitrice.
J'imagine bien qu'il se passe des trucs, y'a tout de même 2 corps dans 1 seul ! Une sorte de colocation, et donc ça peut plus ou moins bien se passer !

Mais de là à imaginer la création d'un lien de parentalité...

Pour moi, décider de s'occuper d'un enfant et de l'accompagner jusqu'à son autonomie dépasse le lien strictement biologique.
Fonder une famille n'a rien à voir avec la nature, l'orientation sexuelle, le genre, la taille, la couleur des cheveux... ni avec les gènes !

La parentalité dépasse le cadre de la procréation. Et la filiation dépasse le lien biologique. Comme dans les cas d'adoption.

En fait, qu'on se le dise, les parents c'est ceux qui nettoient le caca!
Ou plutôt ceux qui prennent soin et donnent de l'amour!
Sans être payés, hein!

C'est qui qui les parents du bébé?
the Voice
PARENT

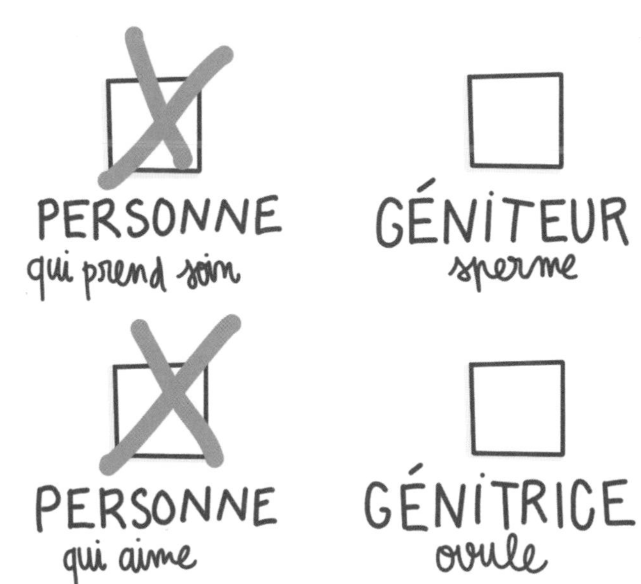
PERSONNE
qui prend soin
GÉNITEUR
sperme
PERSONNE
qui aime
GÉNITRICE
ovule

La Presque FIN de cette BD

Ma sensation initiale de m'être fait avoir ne vient pas de nulle part !
invention de l'instinct maternel
inégalités, patriarcat
dévalorisation éducation, petite enfance
jugement des femmes sans enfants
morale
hétéronormativité
...

Je comprends mieux maintenant pourquoi, dans ma tête, féminisme et maternité n'allaient absolument pas de pair voire étaient carrément opposés. Mais sans vraiment pouvoir expliquer pourquoi !

Je voyais bien que les enfants, leurs soins et leur éducation étaient plutôt une charge féminine. Mais je n'imaginais pas à quel point cela nourrit l'inégalité homme/femme. Et je me rends compte aujourd'hui, maintenant que je suis mère, à quel point c'est un enjeu capital du féminisme. Même si je tente, dans mon foyer, d'accéder à une certaine équité, je n'ai pas le pouvoir de faire ça à l'échelle de la société.

Est-ce que c'est possible d'ôter tous les carcans et injonctions pour réussir à entrevoir notre "vrai" désir d'enfant?

épanouissement féminin

perpétuer la lignée

l'instinct maternel

la peur de finir seule mangée par mes chats

femme = maman

la peur de d[…]r une vieille aigrie

normalité

[…]bligat[…]on

la peur du regret

un amour inconditionnel

À 30 ans…

se sentir femme

la biologie

Et si on arrive à tout démêler, est-ce que la réponse est aussi binaire que ça ?
Est-ce que je veux un enfant
OUI
NON
Et ce désir, il serait composé de quoi ?

Ce n'est donc pas une pulsion biologique et pas uniquement une construction sociale. Mais c'est quoi alors? Est-ce une envie de transmettre, de perdurer au-delà de notre propre mort, de ne pas vieillir seul, de donner du sens à sa vie..? Est-ce que c'est l'envie d'aimer et d'être aimer (oui, ça ressemble à une chanson de la comédie musicale Les 10 commandements huhu?)

Il est clair qu'il y a une multiplicité de désirs et de non-désirs d'enfant. Mais peut-être que le socle commun, c'est l'idée de "faire famille". Et là tu te demandes: mais qu'est ce qui "fait famille" aujourd'hui? Au-delà de la filiation biologique et de l'hétéronormativité, est-ce que ça ne serait pas tout simplement (attention violon): l'amour et l'attention? Et quoi de mieux que de partager avec toi plusieurs témoignages qui le prouvent?

Vincent & Grégory

Lorsque je me suis questionnée sur la PMA, un copain m'a parlé de son cousin et son amoureux. Grégory et Vincent sont en cours de GPA (Gestation Pour Autrui).

Au début, ils ont hésité à apporter leur témoignage, par superstition, de peur que ça leur porte malheur. Et puis finalement, parce qu'ils estiment qu'on ne parle pas assez de la GPA et qu'il faut libérer la parole sur le sujet, ils ont accepté de partager leur histoire.

« Parfois t'as l'impression que c'est un truc sous le manteau. Alors que ça devrait être public, tout le monde devrait en parler. Ça éviterait les erreurs ! »

Grégory

Quand on s'est rencontrés et qu'on a eu envie d'être en couple, on a tout de suite parlé de fonder une famille.

J'aime les enfants depuis toujours et j'ai toujours voulu avoir une famille.

Pourquoi la GPA et pas l'adoption? L'idée de transmettre nos gènes nous plaît.

Et puis l'adoption pour les couples homo c'est hyper compliqué.

Avec un couple de lesbiennes? On n'a pas envie de partager, hihi.

Vincent

Je me suis révélé homosexuel assez tard, vers 27 ans. Je n'aurais pas pu assumer s'il n'y avait pas eu de possibilité de parentalité.

J'ai toujours su que je voulais "faire famille", transmettre, sans forcément de lien génétique.

J'ai suivi de près le débat sur le mariage pour tous et j'ai pleuré quand on a dit que les homos s'achetaient des «enfants playmobil».

On a rencontré plusieurs couples qui font ou ont fait une GPA. Ils ont tous le même ressenti : c'est un vrai parcours du combattant !

« C'est une erreur de croire que ce n'est que maintenant que les homos déclarent vouloir des enfants. Ils en avaient bien avant, en couple hétéro. Dans les années 70, en affirmant leur sexualité, les homos ont consenti à faire l'impasse sur la parentalité. »

« Aujourd'hui, les réactionnaires demandent aux homos d'être comme tout le monde et en même temps ils leur refusent l'accès à la vie sociale, au mariage et à la famille. »

« Cela engendre beaucoup de souffrance ! Savoir que la GPA existe est libérateur. Quand on sait qu'il y a 7 fois plus de suicide chez les ados homos que chez les ados hétéros. Le refus de l'accès à la parentalité aux homos renforce le mal-être. »

« En France, la GPA est interdite mais les gens la pratiquent quand même, avec des conséquences tragiques parfois. Exactement comme l'avortement avant sa légalisation.
Dire qu'un enfant sans maman est malheureux, c'est peu connaître la France où 1 enfant sur 4 vit dans un foyer monoparental. Et puis il faudrait commencer par interdire le divorce alors !
Nous avons des devoirs envers les enfants : les protéger. Et non les juger ! »

LA GPA DANS LA BIBLE ?

Genèse 30.1 > 30.22

STARRING:

« Prends ma servante Bila. Unis-toi à elle pour qu'elle ait des enfants. Je les adopterai. Alors, par elle, j'aurai des enfants aussi »
Jacob
Rachel

Euh...
Bila

Cette référence biblique (idem pour celle d'Abram et et Saraï, Genèse 16.1) a aidé à autoriser la GPA dans la loi israélienne en 1996 (pas encore ouverte aux homos mais en cours d'aménagement.)

On a choisi les USA. Ça fait 20 ans qu'ils font ça.

On n'a pas de protections, peu de connaissances, il y a la barrière de la langue et ça demande beaucoup beaucoup d'argent !

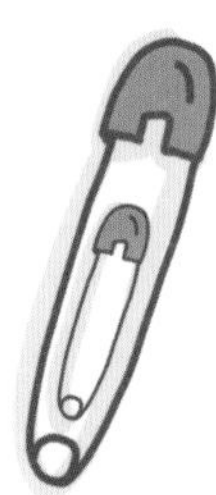

On a trouvé une agence tenue par des femmes qui ont déjà fait l'expérience de la GPA en étant mères porteuses.

Choisir une agence de mères porteuses. C'est assez angoissant car certaines agences peuvent être très commerciales !

les critères aux USA
- ☐ avoir des enfants
- ☐ avoir une vie de couple
- ☐ consulter un psy

Et nous aussi on doit passer devant un psy

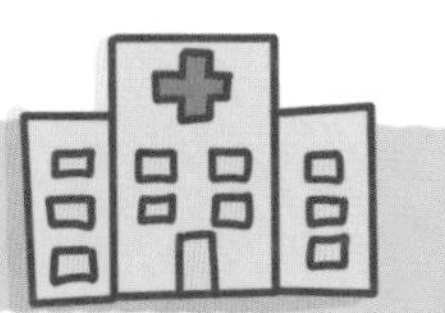

Choisir le bon médecin, celui qui prendra en charge le transfert des embryons.

Choisir une donneuse d'ovules ? Comment ? On ne doit pas faire d'eugénisme alors on choisit au hasard ?

Nous, on a choisi une donneuse qui n'exige pas l'anonymat

L'enfant aura la possibilité de rencontrer sa génitrice à 18 ans. Voir la personne avec qui il partage ses gènes. C'est hyper important pour nous.

On a fait un contrat avec la donneuse d'ovules. On a aussi prévu un avocat pour le côté juridique français.

« C'est une démarche hyper longue ! Ça fait déjà 3 ans ! Et c'est beaucoup d'investissement ! »

« Et on n'est même pas sûr que ça aboutisse ! »

Avec Wendy, le lien est déjà très fort!
On est tellement admiratifs de ce qu'elle fait pour nous!
Wendy a un job, un mari et 3 enfants. C'est sa 2ème GPA.
Toute sa famille est au courant, ses collègues aussi.

Oui il y a une monétisation. Mais il y a d'autres moyens de se faire de l'argent, et plus faciles qu'une grossesse!

Quand le ou les bébés seront là, on va louer une maison quelques semaines tous ensemble, Wendy, nous et nos familles.

On ne cachera rien à cet enfant.

Je me projette depuis super longtemps, j'ai même déjà choisi des prénoms.

On fera des trucs plan-plan comme toutes les familles.

Nos mères et nos sœurs seront les figures féminines de sa vie.

Comme le parcours est super long, on a le temps de se préparer, de se former, de réfléchir...

C'est la décision la plus importante de notre vie !

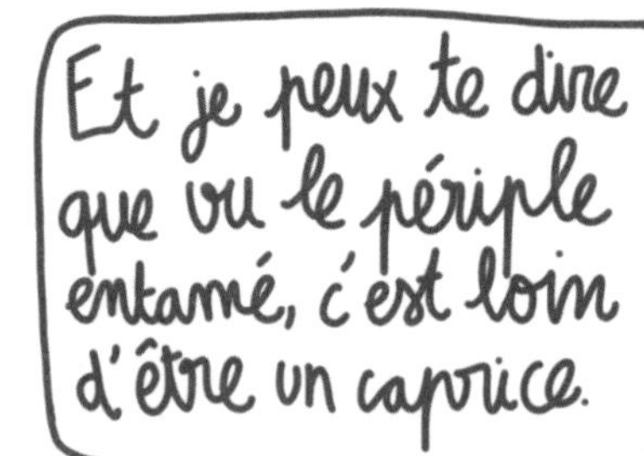

Et je peux te dire que vu le périple entamé, c'est loin d'être un caprice.

L'avantage d'être homo, c'est d'avoir déjà dû s'assumer. On n'a pas besoin de plaire à tout le monde pour avancer !

C'est sûr qu'on est loin du couple hétéro qui baiserait bourré et qui oublierait une contraception ! Hihi !

Sofia

À 23 ans, on diagnostique à Sofia un cancer super rare (tellement rare que je n'en connaissais pas le nom, et pourtant on peut dire que je suis spécialiste !!!)
Même si elle est super jeune, à 23 ans, le cancer, elle connaît. Dans sa famille il y a de nombreux cas.
Les médecins lui expliquent le protocole : opération + ablation de l'ovaire gauche et peut-être du droit aussi. La grosse claque : le cancer et sûrement l'incapacité de faire un enfant. L'opération a lieu, elle garde un ovaire. Elle enchaîne avec de la chimio. Et la vie continue.
Elle est suivie, son gynéco lui fait comprendre que le bébé c'est maintenant. Après 30 ans, ça sera compliqué. Mais pffff, là ? Tout de suite ?
Elle n'en a pas envie, même si elle a un amoureux sérieux. OK, elle y repensera à 30 ans. Et là BIM rechute, opération, interdiction de faire un bébé.
Trop dangereux avec ce cancer hyper rare et mal maîtrisé. Peut-être dans 5 ans, à voir... Si elle est toujours en vie.

35 ans et mariée pis t'as pas d'enfant !? Nan mais Allô !
La pression sociale, celle de la belle-famille, les questions déplacées de tout le monde !
C'est OUF !

À ce moment-là, ce que je veux, c'est avoir le choix ! Mon désir d'enfant est dur à décrypter vu la situation.

Je me décide un jour à aller consulter le service d'onco-fertilité. Et là on m'annonce que ce sera impossible et que je ferais mieux d'aller en Espagne pour un don d'ovocytes* !

J'ai mis du temps à gérer tout ça. Je suis allée chez le psy pour m'aider à accepter que je ne transmettrais jamais mes gènes.

* C'est fou! En France pourtant, Sofia a le droit de faire une demande de don et gratuitement. Cependant, ce sera plus long et plus compliqué.

Le don est anonyme, donc je ne maîtriserai rien!
Nan mais imagine, mon enfant pourrait être affreux!
Et puis j'ai une copine qui l'a fait. Et je me souviens d'avoir pensé : LA PAUVRE!
Je sais même pas pourquoi... Parce que je trouvais ça triste!

J'imaginais que pendant la grossesse j'allais tout oublier...
Et puis une fois enceinte, j'ai rien oublié! J'ai même beaucoup cogité!
Et j'ai expliqué le processus à tout le monde. J'étais sûre de le dire à mon bébé!

« Aujourd'hui je regrette, parce que je ne suis plus sûre de vouloir le dire. Je me questionne beaucoup. Je consulte pour savoir quoi faire. Imagine un jour, dans une fête de famille, un oncle bourré qui lâche l'info... »

Et quand elle est arrivée (c'est une petite fille), j'ai tout oublié! J'étais triste pendant la grossesse en me répétant qu'elle n'aurait rien de mon père ni de ma mère, qu'elle ne les connaîtrait même pas (ils sont décédés). Et finalement aujourd'hui je trouve qu'elle ressemble à ma mère!

J'ai eu des remarques...

Du genre : « C'est bizarre de faire entrer un étranger dans la famille »

Et puis tout le monde est obnubilé par cette idée de transmission des gènes.

Tu sens aussi l'angoisse des gens, comme face à la maladie. Mais ça j'ai un peu l'habitude !

Mais si tu savais comme je m'en tape ! Aujourd'hui, elle me rend tellement heureuse ! Bon, après, ça ne m'empêche pas de me poser les mêmes questions que toi !

Bénette, Julie & Lady Bug

Bénette
Ça fait 10 ans qu'on est ensemble.
Et moi j'ai 5 ans 1/2 !
Lady Bug
Julie

J'ai toujours su que je voulais un enfant mais surtout que je voulais être enceinte !
Je sais, c'est bizarre !
Plus bizarre encore, à 18 ans, j'ai écrit dans mon journal : à 30 ans, j'aurai une fille, Apolline.
J'avais zappé, je suis tombée dessus y'a pas longtemps !

Moi je sais pas... Il n'y a pas de moment précis !
Mais quand on s'est installées ensemble on en a parlé assez rapidement !
On a eu envie de vivre cette expérience ensemble !
Comment on a fait ?

J'ai regardé sur des forums et on est allées en Belgique pour faire appel à un don de sperme.

« Moi, je suis une louve. Quand elle est née, je l'ai collée sur moi et je l'ai pas lâchée. Tout le monde pensait que c'était moi qui l'avais portée ! »

C'est moi qui l'ai portée. Mais le lien n'a pas été immédiat entre notre fille et moi.
Ça m'a fait un peu culpabiliser au début.
Et puis avec le temps et au-delà du modèle hétéronormatif, chacune a pris sa place.
Maman "dict"...
et maman Julie !
Et parfois je dis juste maman...
Comme ça, elles viennent toutes les deux !

Moi, à l'école, tout le monde sait que j'ai 2 mamans!
Avant j'étais la seule.
Mais plus maintenant!
Y'a une autre fille dans ma classe!

Salut, t'es nouvelle?
Oui.
Toi aussi t'as 2 mamans!
Oué comment tu sais?
Mon flair?
...

* Radar gay : capacité à deviner l'orientation sexuelle des gens.

Épilogue

Je serais capable de porter un enfant pour quelqu'un.
C'est beau ce que tu dis !
Le problème ça serait le regard des autres !
Valentine, une amie

Chaton?
Hum?
J'y ai beaucoup réfléchi... Mais je crois que je serais pas contre porter un bébé pour quelqu'un d'autre!

T'es sérieuse?

Mais t'es tarée ?

Je te préviens, je te masserai pas les pieds si c'est pas notre bébé!

Elle est folle! La meuf, elle a un cancer, des chimios, 5 opérations et c'est pas assez? Mais je comprends le principe, c'est un beau cadeau... T'es quand même tarée!

FIN

MAMA!
OMG
il a dit « Maman » !!!
!!!!!

BIBLIOGRAPHIE CHOISIE

- *Histoire des mères et de la maternité en occident*, Yvonne Knibiehler, Que sais-je ?, 2017
- *La Revanche de l'amour maternel*, Yvonne Knibiehler, Erès, 2014
- *Les Tranchées*, Maternité, *ambigüité et féminisme, en fragments,* Fanny Britt, Atelier 10, 2013
- *Les Femmes savantes*, Molière, 1672
- *L'Amour en plus*, Elisabeth Badinter, Flammarion, 1980
- *Quoi de plus normal qu'infiiger la vie*, Orianne Lassus, Arbitraire, 2016
- *Le Deuxième Sexe I et II*, Simone de Beauvoir, Gallimard, 1946 et 1949
- *Journal de la création*, Nancy Huston, Babel, 1990
- *L'Implacable Brutalité du réveil*, Pascale Kramer, Zoé, 2009
- *L'Homme semence*, Violette Ailhaud, Editions Parole, 1919
- *Sorcières : La Puissance invaincue des femmes*, Mona Chollet, La Découverte, 2018

PODCASTS

- *Bliss Stories :* le podcast décomplexé sur la grossesse et l'accouchement (épisode « L'Horloge biologique, on t'a pas sonnée »)
- *Les Pieds sur terre* (épisode « PMA hors la loi »)
- *Les Couilles sur la table* (épisode « Cro-Magon, ce gentleman »)

COMPTES INSTAGRAM

- *@le_collectif_pa.f*
- *@wondher*
- *@bordel.de.meres*

Merci à Martin qui suit l'évolution de cette BD depuis plus d'un an.
Merci à mes parents de toujours suivre de près mon travail.

Merci à Chloé, Elise, Elodie, Jenn, Agathe, Valentine,
Paula et Diane pour leur écoute et leurs conseils.

Merci à la chercheuse Manon Vialle pour sa précieuse aide.
Merci aux témoins qui ont accepté de se confier.
Merci à Gwenaëlle et Alexis. Merci au CIDFF Paca.

Merci à la librairie les Grandes Largeurs de Arles et
à toutes celles et ceux qui ont contribué à mes réflexions.

Merci à Christine, Marion, Nathalie et Néjib des Éditions Casterman.
Merci à mon agent Nicolas Grivel.

www.lilisohn.com

www.casterman.com

ISBN : 978-2-203-17862-5
N° d'édition : L.10EBBN003046.N001

Conception graphique : Studio Casterman BD

Achevé d'imprimer en juillet 2019 par Edelvives (Espagne), sur du papier offset blanc 120 g.
Ce papier est composé de fibres naturelles, renouvelables, recyclables et fabriquées à partir de bois provenant de forêts gérées durablement.
Dépôt légal : août 2019 ; D.2019/0053/392